sem esforço

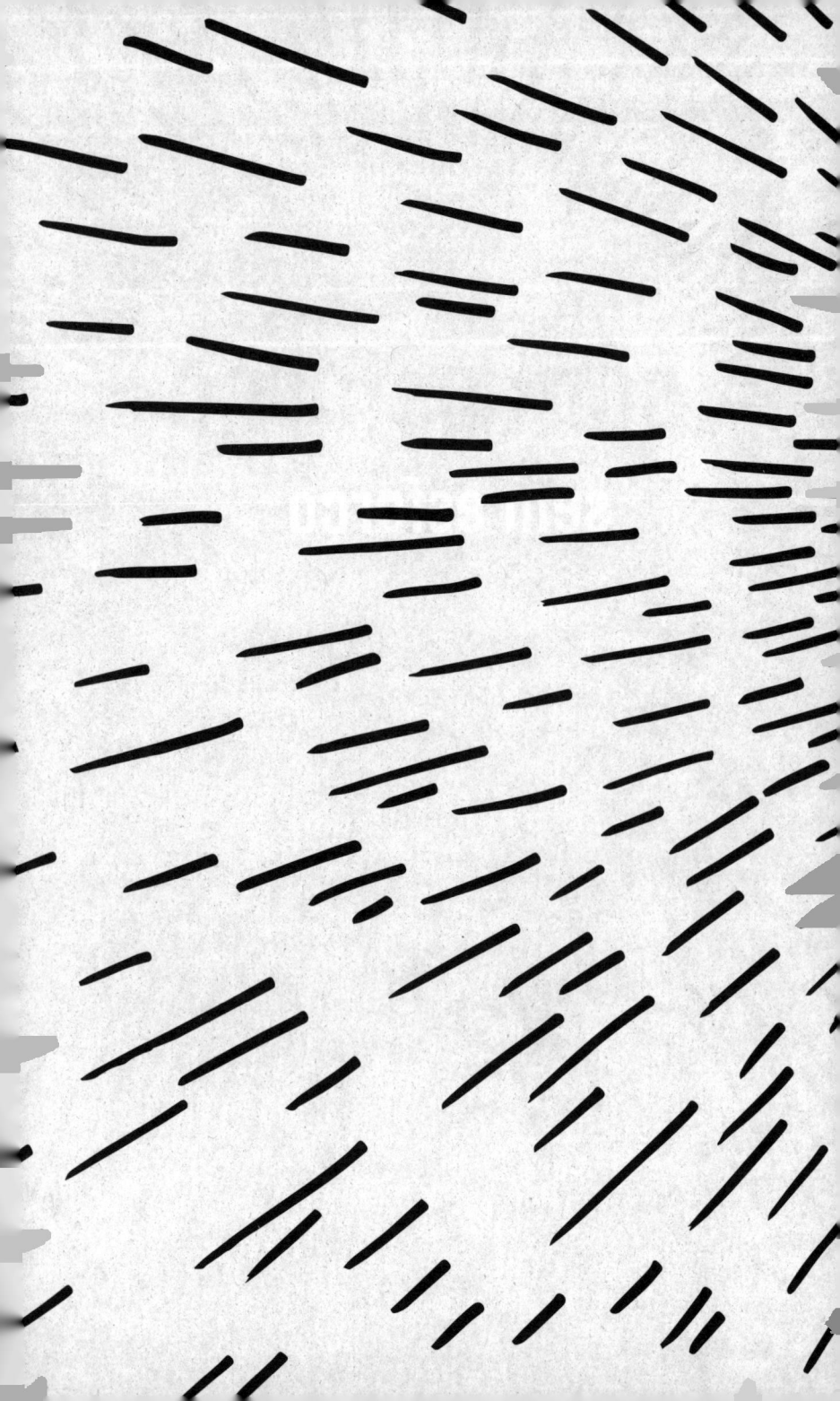

sem esforço

Torne mais fácil
o que é mais importante

GREG McKEOWN

SEXTANTE

Título original: *Effortless*
Copyright © 2021 por Greg McKeown
Copyright da tradução © 2021 por GMT Editores Ltda.

Esta edição foi publicada mediante acordo com Currency,
selo da Random House, uma divisão da Penguin Random House, LLC.

Todos os direitos reservados. Nenhuma parte deste livro pode ser
utilizada ou reproduzida sob quaisquer meios existentes
sem autorização por escrito dos editores.

tradução: Beatriz Medina
preparo de originais: Melissa Lopes Leite
revisão: Livia Cabrini e Sheila Louzada
diagramação: Ana Paula Daudt Brandão
ilustrações: Greg McKeown e Denisse Leon
capa: Terri Radstone
adaptação de capa: Gustavo Cardozo
impressão e acabamento: Lis Gráfica e Editora Ltda.

CIP-BRASIL. CATALOGAÇÃO NA PUBLICAÇÃO
SINDICATO NACIONAL DOS EDITORES DE LIVROS, RJ

M429s

McKeown, Greg
    Sem esforço / Greg McKeown ; tradução Beatriz Medina. -
1. ed. - Rio de Janeiro : Sextante, 2021.
    272 p. ; 21 cm.

    Tradução de: Effortless
    ISBN 978-65-5564-193-6

    1. Fadiga mental. 2. Burnout (Psicologia). 3. Stress ocupacional.
4. Qualidade de vida. I. Medina, Beatriz. II. Título.

21-71554	CDD: 158.723
	CDU: 159.944.4

Meri Gleice Rodrigues de Souza - Bibliotecária - CRB-7/6439

Todos os direitos reservados, no Brasil, por
GMT Editores Ltda.
Rua Voluntários da Pátria, 45 – 14º andar – Botafogo
22270-000 – Rio de Janeiro – RJ
Tel.: (21) 2538-4100
E-mail: atendimento@sextante.com.br
www.sextante.com.br

Pois o meu jugo é suave e o meu fardo é leve.
Mateus 11:30

SUMÁRIO

Introdução — Nem tudo tem que ser tão difícil 11

Primeira parte: Estado sem esforço
Como tornar mais fácil a concentração?

1. INVERTER: E se isso pudesse ser fácil? 37
2. DESFRUTAR: E se pudesse ser divertido? 51
3. LIBERTAR-SE: O poder de deixar pra lá 65
4. DESCANSAR: A arte de não fazer nada 81
5. OBSERVAR: Como enxergar com clareza 95

Segunda parte: Ação sem esforço
Como tornar mais fácil o trabalho essencial?

6. DEFINIR: Que aspecto deve ter algo finalizado 117
7. COMEÇAR: A primeira ação óbvia 125
8. SIMPLIFICAR: Comece do zero 133
9. PROGREDIR: A coragem de ser tosco 145
10. ESTABELECER UM RITMO: Devagar é tranquilo, tranquilo é rápido 155

Terceira parte: Resultados sem esforço
Como obter o retorno máximo com um esforço mínimo?

11. APRENDER: Explore ao máximo o que os outros sabem 179
12. ELEVAR: Aproveite a força da multiplicação 195
13. AUTOMATIZAR: Faça uma vez e nunca mais 201
14. CONFIAR: O segredo das equipes de alto desempenho 211
15. PREVENIR: Resolva o problema antes que aconteça 223

Conclusão — AGORA: O que acontece em seguida é o que mais importa 237

Agradecimentos 247

Notas 249

sem esforço

Introdução

NEM TUDO TEM QUE SER TÃO DIFÍCIL

Patrick McGinnis,[1] palestrante requisitado e autor de livros sobre trabalho e empreendedorismo, tem uma história de vida muito interessante.

Patrick fez tudo o que deveria fazer para ser considerado uma pessoa de sucesso. Formou-se na Universidade de Georgetown e fez um MBA na Harvard Business School. Entrou para uma empresa importante de finanças e seguros.

Cumpria as longas jornadas de trabalho que achava que esperavam dele, cerca de 80 horas por semana, mesmo nas férias e nos feriados. Nunca saía do escritório antes do chefe; às vezes, parecia que nem sequer saía do escritório.

Viajava tanto a serviço que conquistou a melhor categoria do programa de fidelidade da companhia aérea Delta, um nível tão alto que nem nome tinha. Ao mesmo tempo, integrava o conselho diretor de quatro empresas em três continentes. Certa vez, quando se recusou a ficar em casa porque estava doente, teve que sair três vezes da sala de reuniões para vomitar no banheiro. Quando voltou, um colega lhe disse que ele estava verde. Nem assim Patrick parou.

Tinham lhe ensinado que o trabalho duro é o caminho para tudo o que se quer na vida. Fazia parte da mentalidade da Nova Inglaterra (região dos Estados Unidos onde nasceu): sua ética profissional era a prova de seu caráter. E, sempre buscando resultados melhores, ele levou isso além. Não achava simplesmente que trabalhar por horas intermináveis o levaria ao sucesso; achava que *isso* era o sucesso. Se alguém não ficava até tarde no escritório era porque não devia ter um cargo muito importante.

Ele presumia que, no final das contas, as longas jornadas iriam recompensá-lo. Até que, certo dia, descobriu que trabalhava para uma empresa falida. A empresa era a AIG e o ano, 2008. As ações da companhia tinham caído 97%. Todas as vezes que ficou até tarde no escritório, todos os incontáveis voos noturnos para a Europa, a América do Sul e a China, todos os aniversários e comemorações perdidos tinham sido em vão.

Após a eclosão da crise financeira, McGinnis ficou meses sem conseguir sair da cama. Começou a ter suores noturnos. Sua visão ficou borrada, em sentido literal e figurado. Passou meses sem enxergar com clareza. Sentia-se caindo no abismo, completamente perdido.

Adoecido pelo estresse, procurou um médico que lhe pediu alguns exames. Ele se sentia como o trágico personagem Lutador, um dos cavalos do livro *A revolução dos bichos*, de George Orwell. Descrito como o trabalhador mais dedicado da fazenda, sua resposta a todos os problemas, a todos os reveses, era "Eu vou trabalhar mais!"[2] – até que desmoronou por excesso de trabalho e foi mandado para o matadouro.

Assim, sentado no táxi enquanto voltava do consultório médico, Patrick fez o que chamou de "barganha com Deus" e prometeu que, se sobrevivesse, iria finalmente fazer algumas mudanças.

"Trabalhar duro e por mais tempo havia sido minha solução para todos os problemas", disse Patrick. Mas, de repente, ele percebeu que, na verdade, o saldo do excesso de trabalho era negativo.

O que poderia fazer, então? Havia três opções: poderia continuar do mesmo jeito e, provavelmente, morrer de tanto trabalhar; poderia diminuir suas expectativas e desistir de suas metas; ou poderia encontrar um jeito mais fácil de atingir o sucesso que queria.

Ele escolheu a terceira opção.

Pediu demissão da AIG, mas continuou atuando como consultor. Parou de trabalhar 80 horas por semana. Passou a voltar para casa às cinco da tarde. Não lia nem mandava e-mails nos finais de semana.

Também parou de tratar o sono como um mal necessário. Começou a caminhar, a correr e a comer melhor. Perdeu 11 quilos. Voltou a curtir a vida e a gostar do trabalho.

Mais ou menos nessa época, ele soube que um amigo estava investindo em startups – não muito dinheiro, só pequenos cheques aqui e ali. Interessado, Patrick resolveu apostar em alguns negócios. Conseguiu um retorno de 25 vezes sobre sua carteira de investimentos. Mesmo em épocas de dificuldade econômica, ele se sentia confiante com suas finanças, porque não dependia de uma única fonte de renda.

Hoje em dia, Patrick ganha mais dinheiro do que antes, trabalhando metade das horas. E o tipo de trabalho que está realizando é mais compensador, menos invasivo. "Nem parece mais trabalho", declarou ele.

O que ele aprendeu com essa experiência foi o seguinte: quando simplesmente não dá para se esforçar mais, é hora de procurar um caminho diferente.

E quanto a você?

Já sentiu que está correndo mais depressa mas não se aproxima de seus objetivos? Quer dar uma contribuição maior mas não consegue porque lhe falta energia? Tem a impressão de estar a um passo do esgotamento físico e mental? Percebe que a situação é muito mais difícil do que deveria ser?

Se respondeu "sim" a qualquer uma dessas perguntas, este livro é para você.

Assim como Patrick no início da história, existem muitas pessoas por aí trabalhando duro e dando o melhor de si. Elas são disciplinadas e focadas. São engajadas e motivadas. Ainda assim, estão completamente exaustas. Onde estão errando?

O caminho sem esforço

A vida é feita de ciclos. Há ritmo em tudo o que fazemos. Tem a hora de dar tudo de si e a hora de descansar e se recuperar. Hoje, porém, nos forçamos cada vez mais, o tempo todo. Não há cadência, só um esforço estafante e contínuo.

Vivemos numa época de grandes oportunidades. No entanto, parece que a vida moderna faz a gente se sentir o tempo todo como quem caminha em altitude elevada. O cérebro fica confuso. O chão parece instável. O ar é rarefeito, e pode ser surpreendentemente cansativo avançar um centímetro que seja. Talvez sejam o medo e a incerteza incessantes quanto ao futuro. Talvez sejam a solidão e o isolamento. Talvez sejam as preocupações ou as dificuldades financeiras. Talvez sejam todas as responsabilidades, todas as pressões que nos sufocam diariamente. Seja qual for a causa, a consequência é que muitas vezes empregamos o dobro do esforço para alcançar só metade do resultado esperado.

A vida tende a ser complicada, árdua, triste, fatigante e frustrante em muitos momentos. Precisamos lidar com decepções, relacionamentos desgastados, contas atrasadas, criação de filhos, doenças, perda de entes queridos. Há períodos em que todos os dias são difíceis.

Não seria realista afirmar que este livro tem o poder de eliminar essas tribulações. Não escrevi *Sem esforço* para subestimar o peso de suas aflições, e sim para ajudar você a deixá-las mais leves. Ele pode não tornar todo fardo difícil mais fácil de carregar, mas acredito que possa descomplicar muitas coisas.

É normal se sentir sobrecarregado e exausto com os desafios grandes e penosos. E é igualmente normal se sentir sobrecarregado e exausto com as frustrações e os incômodos cotidianos. Acontece com todos nós.

Estranhamente, alguns reagem à exaustão e à sobrecarga prometendo trabalhar ainda mais. Em nada ajuda o fato de nossa cultura glorificar o esgotamento físico e mental – ou síndrome de burnout – como medida de sucesso e valor pessoal. A mensagem implícita é que, se não nos sentirmos perpetuamente exaustos, é porque não estamos fazendo o suficiente. Segundo essa mentalidade, grandes feitos estariam reservados aos que sangram, aos que chegam perto de um colapso. Um volume esmagador de trabalho deveria ser a meta.

O burnout não é uma medalha de honra.

É verdade que trabalhar mais arduamente pode levar a um resultado melhor. Mas só até certo ponto. Afinal de contas, há um limite máximo de tempo e de esforço que podemos investir. E, quanto mais cansados ficamos, mais o retorno sobre esse esforço diminui. Esse ciclo pode continuar até ficarmos esgotados, e sem produzir o resultado que de fato queremos. Provavelmente você sabe disso. Pode estar nessa situação agora mesmo.

E se adotássemos a abordagem oposta? Se, em vez de nos forçarmos, em alguns casos bem além dos nossos limites, buscássemos um caminho mais fácil?

O dilema

Após a publicação do meu primeiro livro, *Essencialismo – A disciplinada busca por menos*, entrei no circuito de palestras. Tive a oportunidade de viajar pelos Estados Unidos dando conferências, autografando livros e transmitindo uma mensagem muito significativa para mim. Numa dessas viagens, cheguei à noite de autógrafos na hora marcada e descobri que 300 pessoas faziam fila até dobrar a esquina e que os exemplares tinham se esgotado na livraria – o que nunca acontecera antes em um evento. Aquele ano virou um borrão de saguões de aeroporto, corridas de Uber e quartos de hotel.

Pessoas que leram o livro três, cinco ou dezessete vezes me escreveram para dizer que ele tinha mudado sua vida e, em alguns casos, até a salvara. Todas desejavam me contar sua história, e eu estava disposto a ouvi-la.

Eu queria falar diante de salas cheias de gente ansiosa para se tornar essencialista. Queria responder a todos os e-mails que recebia dos leitores. Queria escrever mensagens personalizadas a todos os que me pediam autógrafos. Queria estar presente e ser gentil com cada pessoa que tivesse uma história a contar sobre sua experiência com *Essencialismo*.

Melhor ainda do que ser o "Pai do Essencialismo" era ser pai, agora de quatro filhos. Minha família sintetiza tudo o que é essencial para mim, e eu queria me dedicar totalmente a ela. Queria ser um verdadeiro parceiro para minha esposa, Anna, e dar o apoio necessário para que ela pudesse ir atrás de seus objetivos e sonhos. Queria realmente escutar meus filhos sempre que quisessem falar, mesmo nos momentos que pareciam os mais inconvenientes. Queria estar presente para comemorar seus sucessos. Queria orientá-los e incentivá-los a atingir as metas essenciais para eles, fosse dirigir um filme ou alcançar o nível mais alto dos escoteiros. Eu queria fazer tudo com eles, como curtir jogos de tabuleiros, praticar luta, nadar, jogar tênis, ir à praia, assistir a filmes comendo pipoca e guloseimas.

Com o intuito de ter tempo para tudo isso, eu já descartara muita coisa não essencial: resistira a escrever outro livro, embora me dissessem que eu "tinha que" fazer isso a cada 18 meses; pedira licença do meu trabalho como professor em Stanford; pusera de lado os planos de montar um negócio de seminários e oficinas.

Nunca havia sido tão seletivo na vida. O problema era que ainda parecia que eu estava fazendo coisas demais. E não era só isso: eu sentia um chamado para aumentar minha contribuição mesmo quando não havia mais espaço para mais nada.

Eu me esforçava para ser um modelo de Essencialista. Para viver de acordo com o que ensinava. Mas não era suficiente. Sentia as falhas do pressuposto a que sempre me agarrara: que, para obter tudo o que queremos sem nos ocupar demais nem nos forçar ao impossível, bastava ter a disciplina de só dizer "sim" a atividades essenciais e "não" a todo o resto. Mas agora eu me perguntava o que fazer quando a vida já está reduzida ao essencial e *ainda* há coisas demais.

Mais ou menos nessa época, eu dava uma aula a um grupo de empreendedores quando alguém mencionou a "teoria das pedras grandes".

É a história muito conhecida da professora que pega um jarro de vidro grande e vazio. Ela põe algumas pedrinhas no fundo. Depois, tenta pôr pedras maiores em cima, só que elas não cabem.

Então a professora pega outro jarro de vidro vazio do mesmo tamanho. Desta vez, ela põe as pedras grandes primeiro e, em seguida, as pedrinhas. Agora elas cabem. E ainda sobra espaço para completar com areia.

De acordo com essa metáfora, as pedras grandes são as responsabilidades mais essenciais, como saúde, família e relacionamentos. As pedrinhas são os aspectos menos importantes, como trabalho e carreira. Já a areia representa coisas como mídias sociais e aplicativos de namoro.

A lição é semelhante àquela que sempre segui: quando a gente prioriza o que é mais importante, há espaço na vida não só para o que mais valorizamos como para outras coisas. Caso contrário, você fará o que for trivial porém ficará sem espaço para o que realmente importa.

No entanto, sentado no quarto de hotel naquela noite, me perguntei: o que fazer quando há pedras grandes em excesso? E se o trabalho absolutamente essencial não couber dentro dos limites do jarro?

Como deveria funcionar

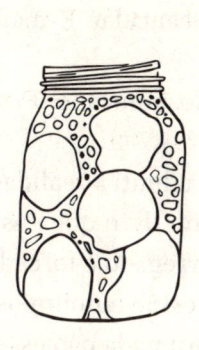

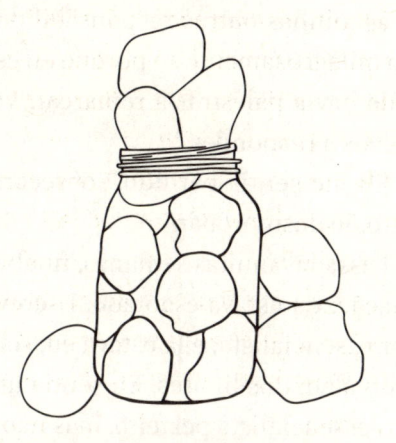

E se houver um excesso de pedras grandes?

Enquanto eu refletia sobre isso, recebi uma chamada de vídeo. Era meu filho Jack, que ligava do celular de minha esposa. Isso não era comum e imediatamente chamou minha atenção. Notei que o rosto dele estava sem cor. O tom de voz era urgente. Ele parecia apavorado. Dava para ouvir minha mulher ao fundo pedindo para Jack "virar o celular", para que eu visse o que estava acontecendo.

Ele tentou explicar: "Tem... alguma coisa muito errada... Eve estava comendo e aí a cabeça dela começou a se mexer... Mamãe... mandou eu ligar para você."

Minha filha estava sofrendo uma crise convulsiva fortíssima.

Com a adrenalina nas alturas, fiz as malas correndo e peguei o primeiro voo de volta para casa. Mas o que viria nos dias e semanas à frente me deixou emocionalmente esgotado. Houve visitas ao hospital. Consultas com médicos especialistas. Telefonemas intermináveis de amigos e parentes que queriam saber como estávamos e em que poderiam ajudar. Enquanto isso, todas as minhas outras responsabilidades não tinham desaparecido milagrosamente só porque eu estava no meio de uma crise. Ainda havia palestras a remarcar. Voos a cancelar. E-mails essenciais a responder.

Eu me sentia perdido, sobrecarregado, sufocado. Estava a ponto de desmoronar.

Passadas muitas semanas, finalmente admiti a realidade da situação: eu estava esgotado. Escrevera um livro que ensinava a ser essencialista, e lá estava eu, sobrecarregado e forçado a ir muito além dos limites. Eu sentia uma pressão autoimposta de ser o essencialista perfeito, mas não restava nada não essencial para eliminar. Tudo tinha importância. Até que chegou o momento em que admiti que não estava bem.

O que aprendi foi: eu estava fazendo todas as coisas certas pelas razões certas, mas estava fazendo do jeito errado.

Eu era como um levantador de pesos tentando levantá-los com os músculos da região lombar. Um nadador que não tinha aprendido a respirar direito. Um padeiro que sovava meticulosamente à mão cada um dos pães.

Desconfio que você saiba exatamente do que estou falando. Aposto que entende como é se sentir envolvidíssimo com o trabalho, porém à beira da exaustão. Fazer o melhor que pode e ainda assim sentir que não basta. Ter mais tarefas essenciais do que cabem no seu dia. Querer fazer mais e simplesmente não ter espaço. Avançar em coisas importantes, mas estar cansado demais para extrair qualquer alegria do sucesso.

Para você que dá tanto de si, preste atenção: existe outro jeito.

Nem tudo tem que ser tão difícil. Chegar ao próximo nível não deve ser sinônimo de exaustão crônica. Sua contribuição para o mundo não precisa ser feita às custas de sua saúde física e mental.

Quando fica difícil demais lidar com as coisas essenciais, você pode desistir delas ou procurar um jeito mais fácil de gerenciá-las.

Essencialismo era sobre fazer as coisas certas. *Sem esforço* é sobre fazê-las do jeito certo.

Desde que escrevi *Essencialismo*,[3] tive a oportunidade de conversar com milhares de pessoas – algumas cara a cara, outras via rede social e outras ainda em meu podcast – sobre os desafios que enfrentam para levar uma vida que prioriza o que tem mais importância. Escutei muita gente contando, de forma às vezes vulnerável, como se esforça para isso.

O que aprendi foi o seguinte: todos queremos fazer o que mais importa. Queremos entrar em forma, guardar dinheiro para a casa própria ou a aposentadoria, alcançar a realização na carreira e construir relacionamentos mais significativos com as pessoas com quem trabalhamos e com quem convivemos. O problema não é a falta de motivação. Se fosse, todos já teríamos nosso peso ideal, viveríamos dentro de nossas posses, teríamos o emprego dos sonhos e desfrutaríamos de relacionamentos profundos com todas as pessoas que são valiosas para nós.

A motivação não basta, porque é um recurso limitado. Para avançar verdadeiramente nas coisas que importam, precisamos de um jeito novo de trabalhar e viver.

Em vez de tentar obter resultados melhores nos esforçando ainda mais, podemos transformar as atividades mais essenciais nas mais fáceis de serem executadas.

Para alguns, a ideia de trabalhar menos arduamente traz certo desconforto. Nós nos julgamos preguiçosos. Temermos ficar para trás. Ficamos nos sentindo culpados por não fazermos um esforço extra todas as vezes. Essa mentalidade, consciente ou não, pode ter origem na ideia puritana de que o ato de fazer coisas difíceis tem um valor inerente. O puritanismo – uma concepção da fé protestante que prosperou sobretudo nos Estados Unidos –, além de abraçar a dificuldade, também nos fez desconfiar da facilidade. Mas atingir nossas metas com eficiência não é falta de ambição; é uma questão de inteligência. Trata-se de uma alternativa libertadora tanto para o esforço quanto para a preguiça, pois nos permite conservar a sanidade e, ao mesmo tempo, realizar tudo o que desejamos.

O que poderia acontecer na sua vida se as coisas fáceis e sem sentido ficassem mais difíceis e as essenciais, mais fáceis? Se os projetos essenciais que você vem adiando se tornassem prazerosos, ao passo que as distrações sem sentido perdessem totalmente o apelo? Essa mudança viraria o jogo a seu favor. Mudaria tudo. E de fato *muda* tudo.

Essa é a proposta de valor de *Sem esforço*. Trata-se de um jeito novo de trabalhar e viver. Um jeito de realizar mais com tranquilidade – realizar mais *porque* você está tranquilo. Um jeito de aliviar os fardos inevitáveis da vida e obter os resultados certos sem se esgotar.

O que poderia acontecer na sua vida se as coisas fáceis e sem sentido ficassem mais difíceis e as essenciais, mais fáceis?

Guia do livro

Este livro está organizado em três partes:

- A Primeira Parte reapresenta você ao seu Estado Sem Esforço.
- A Segunda Parte mostra como realizar a Ação Sem Esforço.
- A Terceira Parte trata de como obter Resultados Sem Esforço.

Cada uma evolui a partir da anterior.

Pense num jogador de basquete de alto nível se preparando para cobrar um lance livre.

Primeiro, ele entra no estado mental certo. Posiciona-se na linha do lance livre e quica a bola algumas vezes – um ritual para ajudá-lo a ficar completamente concentrado. Quase dá para ver o jogador esvaziando a cabeça: ele se livra de todas as emoções, bloqueia o ruído do público. É o que chamo de *Estado Sem Esforço*.

Depois, o jogador dobra os joelhos, alinha o cotovelo no ângulo certo e então eleva as mãos, impulsiona e arremessa a bola. Ele treinou esses movimentos fluidos e precisos até que se entranhassem na memória muscular. Essa é a *Ação Sem Esforço*.

Por último, a bola faz um arco no ar e entra na cesta. Faz aquele barulhinho satisfatório: o som de um lance livre executado com perfeição. Não foi um golpe de sorte. Ele pode fazer isso várias e várias vezes seguidas. É essa a sensação de conseguir *Resultados Sem Esforço*.

Primeira Parte: Estado Sem Esforço

Quando o cérebro atinge sua capacidade máxima, tudo parece mais difícil. A fadiga nos desacelera. Premissas equivocadas e emoções negativas atrapalham nosso processamento de informações novas. As incontáveis distrações do cotidiano nos impedem de enxergar com clareza o que é importante.

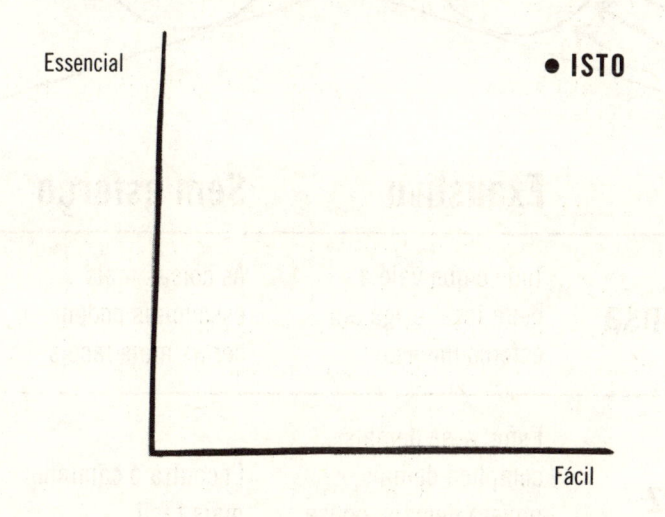

```
Essencial |                          • ISTO
          |
          |
          |
          |
          |
          |_____
                                      Fácil
```

Assim, o primeiro passo para fazer as coisas com menos esforço é limpar toda a tralha da cabeça e do coração.

Você já deve ter sentido isso. É quando está descansado, em paz e concentrado. Está totalmente presente no momento. Tem uma consciência aguçada do que importa aqui e agora. Você se sente capaz de executar a ação certa.

Essa parte do livro apresenta formas práticas de retornar ao Estado Sem Esforço.

O modelo

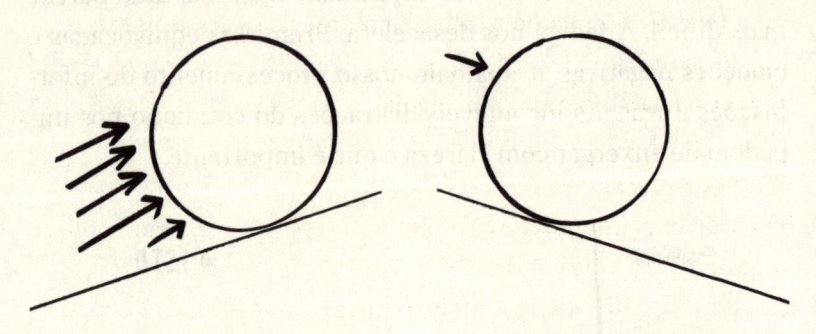

	Exaustivo	**Sem esforço**
Pensa	Tudo o que vale a pena fazer exige um esforço imenso	As coisas mais essenciais podem ser as mais fáceis
Faz	Esforça-se demais: complica demais, projeta demais, pensa demais e faz demais	Encontra o caminho mais fácil
Obtém	Esgotamento e nenhum dos resultados desejados	Os resultados certos sem esgotamento

Segunda Parte: Ação Sem Esforço

Quando estamos no Estado Sem Esforço, fica mais fácil passar à Ação Sem Esforço. Mas ainda podemos encontrar complexidades que atrapalhem o início ou o avanço de um projeto essencial. O perfeccionismo dificulta começar projetos essenciais, duvidar de si mesmo dificulta terminá-los e tentar fazer coisas demais depressa demais dificulta manter o ímpeto.

Essa parte do livro fala de como simplificar o processo para tornar o trabalho em si mais fácil.

Terceira Parte: Resultados Sem Esforço

Quando executamos a Ação Sem Esforço, fica mais fácil obter o resultado que queremos.

Há dois tipos de resultado: o linear e o residual.

Sempre que seu esforço gera um benefício único, você obtém um *resultado linear*. Todo dia, você parte do zero; se não investir esforço hoje, não obterá o resultado hoje. É uma razão de 1 para 1: a quantidade de esforço investido é igual à do resultado recebido. Mas e se esse resultado pudesse fluir para nós repetidamente, sem novos esforços de nossa parte?

Com o *resultado residual*, você investe o esforço uma vez e colhe benefícios várias vezes. O resultado flui para você enquanto dorme, ou quando está tirando um dia de folga. Pode ser praticamente infinito.

Sozinha, a Ação sem Esforço produz resultado linear. Mas, quando aplicamos a Ação sem Esforço a atividades de alta alavancagem, os rendimentos de nosso esforço se combinam, como os juros compostos da poupança. É assim que produzimos resultado residual.

Produzir um ótimo resultado é bom. Produzir um ótimo resultado com facilidade é melhor. Produzir um ótimo resultado com facilidade várias e várias vezes é melhor ainda. A Terceira Parte do livro mostra justamente como fazer isso.

Qualquer coisa pode ser feita sem esforço, mas não tudo

Descobrir o jeito de viver sem esforço é como usar óculos escuros polarizados especiais para pescar.[4] Sem eles, o brilho da água dificulta ver qualquer coisa nadando sob a superfície. Mas, assim que se põem os óculos, suas lentes filtram as ondas horizontais de luz que vêm da água e bloqueiam o brilho. De repente, é possível enxergar todos os peixes lá embaixo.

Quando você se acostuma a fazer as coisas do jeito difícil, é como se estivesse o tempo todo ofuscado pelo brilho que vem da água. Mas, quando começar a pôr em prática as ideias deste livro, passará a ver que o jeito mais fácil estava lá o tempo todo, só que fora do seu campo de visão.

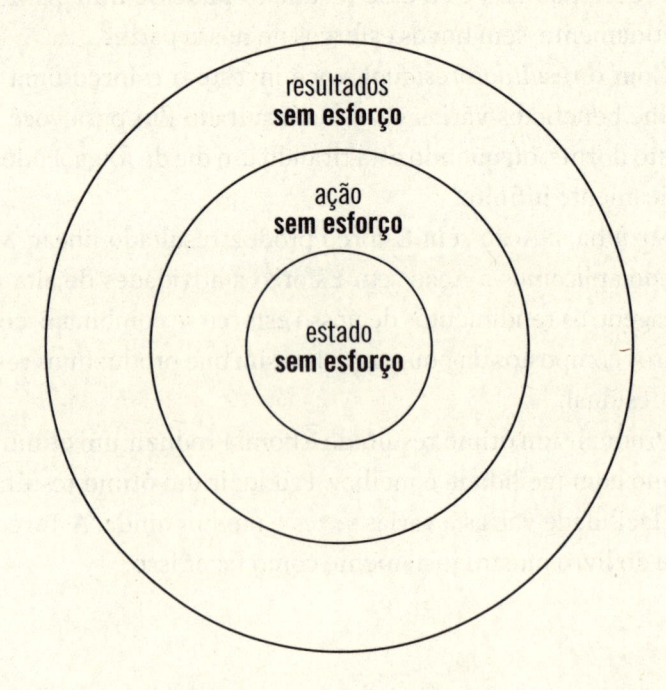

resultados
sem esforço

ação
sem esforço

estado
sem esforço

Todos já experimentamos o jeito sem esforço. Por exemplo: você já se sentiu mais produtivo quando alcançou um estado mais relaxado? Já obteve um resultado melhor depois que parou de se esforçar tanto? Já fez algo uma vez que o beneficiou múltiplas vezes?

Minha motivação para escrever este livro é uma só: ajudar você a vivenciar isso mais vezes e por mais tempo.

É claro que nem tudo na vida pode ser feito sem esforço. Mas é possível tornar as coisas essenciais menos impossíveis; depois, mais fáceis; em seguida, fáceis; e, finalmente, sem esforço.

Para escrever este livro, entrevistei especialistas, li pesquisas e extraí ensinamentos da economia comportamental, da filosofia, da psicologia, da física e da neurociência. Fiz uma busca disciplinada para descobrir respostas à pergunta fundamental: Como tornar mais fácil o que é mais importante?

Agora, mal posso esperar para dividir com você o que aprendi, pois, como disse George Eliot: "Para que vivemos, se não para tornar a vida menos difícil uns para os outros?"[5]

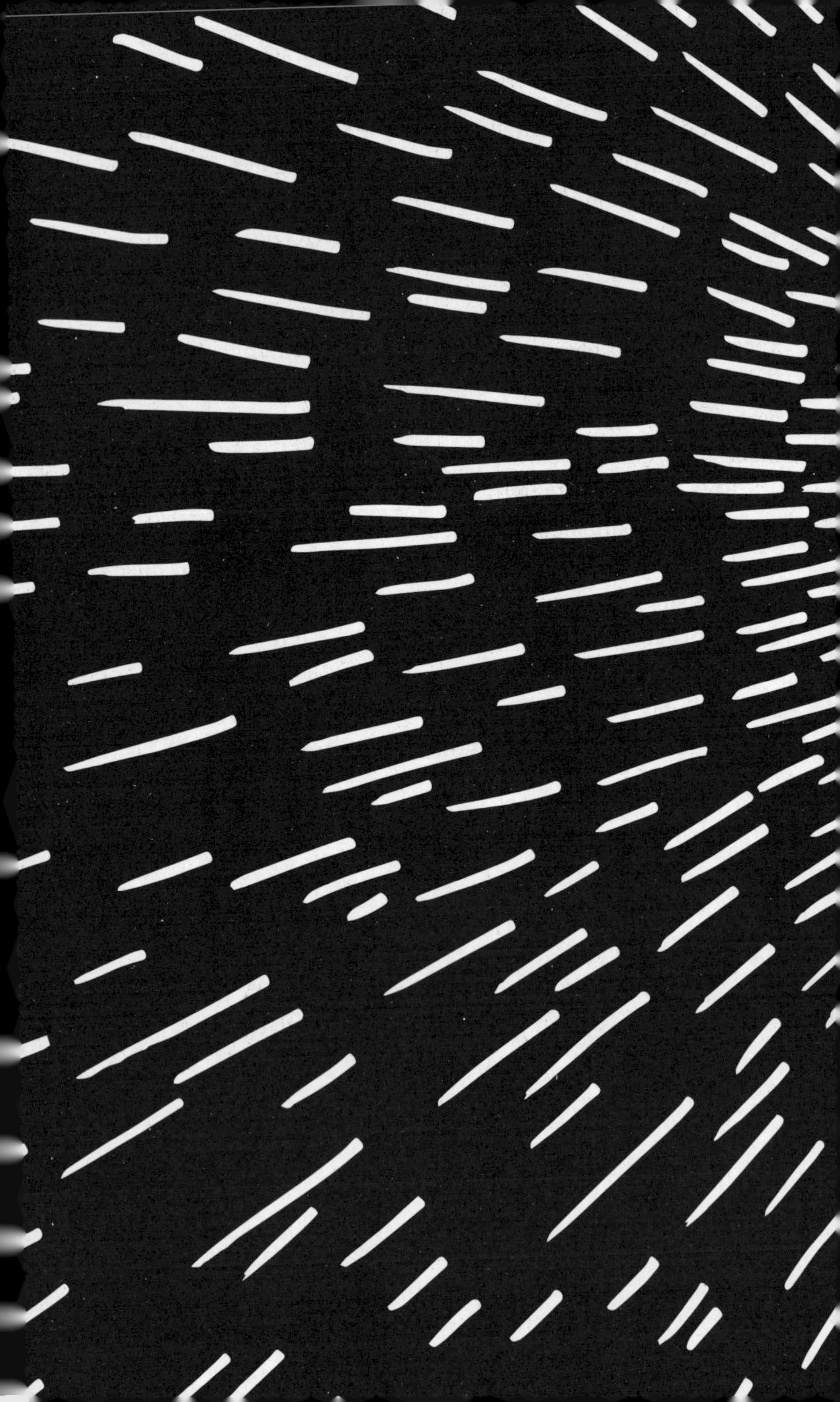

estado sem esforço

PRIMEIRA PARTE

O jogador de basquete com melhor aproveitamento nos lances livres não é Michael Jordan nem Steph Curry. É Elena Delle Donne. Sua taxa de sucesso na linha de lance livre durante sua carreira é de 93,4%. É a mais alta da história tanto da liga americana feminina (WNBA) quanto da masculina (NBA).[6]

Seu segredo é confiar no processo simples que pratica desde a época da escola. Elena vai até a linha, acha o ponto certo com o pé direito, alinha os pés, quica a bola três vezes, faz um L com o braço, ergue-o e lança a bola. "Quando se mantém tudo simples, há menos coisas para dar errado", ela diz.

E qual seria a parte mais importante do processo? "Não pensar demais. O mais importante na linha de lance livre é não deixar coisas demais entrarem na cabeça."

Em outras palavras, o segredo do sucesso de Elena é a capacidade de alcançar o que chamo de *Estado Sem Esforço*.

Você é como um supercomputador projetado com recursos extremamente poderosos. Foi construído para aprender depressa, resolver problemas intuitivamente e calcular sem esforço a próxima ação correta.

Em condições ideais, seu cérebro trabalha a uma velocidade incrível.[7] Mas, da mesma forma que um supercomputador, seu cérebro nem sempre alcança o desempenho ideal. Pense em como o computador fica mais lento quando o disco rígido está cheio demais de arquivos e dados de navegação. A máquina ainda tem uma potência excelente, mas está menos disponível para cumprir funções essenciais. Do mesmo modo, quando seu cérebro está cheio de tralha – como premissas equivocadas, emoções negativas e padrões de pensamento tóxicos –, você tem menos energia mental disponível para realizar o que é mais essencial.

Um conceito da psicologia cognitiva chamado teoria da carga perceptiva[8] explica por que isso que acontece. A capacidade de processamento do cérebro é grande, mas limitada. Ele já processa mais de 6 mil pensamentos por dia.[9] Assim, quando encontramos informações novas, o cérebro tem que decidir como alocar os recursos cognitivos remanescentes. E, pelo fato de o cérebro ser programado para priorizar as emoções com elevado "valor afetivo"[10] – como medo, ressentimento ou raiva –, essas emoções fortes geralmente vencem a disputa, nos deixando com ainda menos recursos mentais para dedicar às coisas que importam.

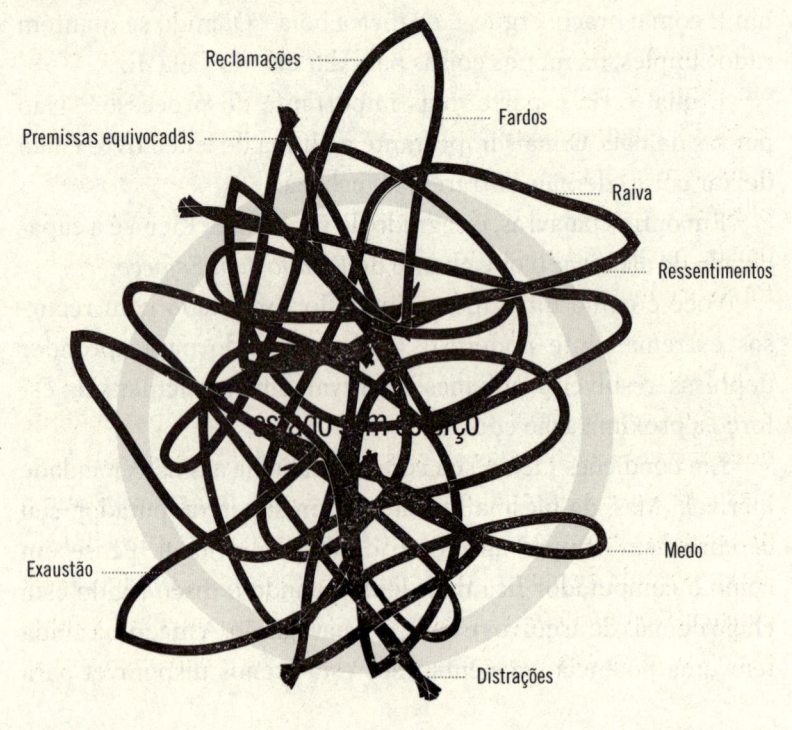

estado sem esforço

Quando seu computador fica lento, você só precisa clicar em alguns botões para limpar uns arquivos e os dados de navegação; imediatamente a máquina passa a funcionar melhor e mais depressa. De maneira similar, é possível usar táticas simples para se livrar de toda a tralha que desacelera o disco rígido de sua mente. Ao clicar em alguns botões, seu Estado Sem Esforço original pode ser restaurado.

Talvez você já tenha experimentado como é retornar ao Estado Sem Esforço. Imagine o fim de um longo dia. Você está com uma dor de cabeça que não passa. Não se lembra de onde deixou o celular. Nem as chaves. Até as solicitações mais simples e razoáveis – um cliente lhe pede uma informação numa mensagem de voz confusa, ou seu filho quer que você vá buscá-lo após a aula de piano – o enchem de frustração. Um feedback construtivo do chefe o tira dos eixos; você se convence de que é um fracasso. Trata o cônjuge com irritação e não encontra as palavras certas para expressar como se sente sobrecarregado. Por que *tudo* é tão difícil?, você se pergunta.

Então, depois de uma boa refeição, um banho quente e uma bela noite de sono, tudo parece diferente. Você acorda com a cabeça leve, grato por mais um dia. Encontra o celular e as chaves (bem onde os deixou!). Imediatamente, sabe como responder ao cliente (o recado nem era tão confuso assim, afinal de contas) e o faz com gentileza. O que você mais quer é estar no carro com seu filho por alguns minutos na volta da aula de piano. Você encontra as palavras certas para dizer ao seu cônjuge: "Sinto muito por aquilo! Por favor, me perdoe." Agradece sinceramente ao chefe pelo feedback. Sua confiança na própria capacidade é restaurada.

Quando retorna ao Estado Sem Esforço, você se sente *mais leve* e *mais iluminado*. Primeiro, você se sente menos pesado, sem fardos. De repente, tem mais energia.

E você também se sente mais cheio de luz. Quando remove os fardos do coração e as distrações da mente, consegue enxergar com mais clareza. É capaz de discernir a ação correta e de iluminar o caminho certo.

O Estado Sem Esforço é aquele em que você está fisicamente descansado, emocionalmente aliviado e mentalmente energizado. Está cem por cento presente, atento e focado no que é essencial naquele momento. É capaz de fazer com facilidade o que mais importa.

Capítulo 1

INVERTER
E se isso pudesse ser fácil?

"Quatro da manhã e estou acordada editando fotos? É sério, isso?"[11]

Kim Jenkins queria fazer o que era realmente importante, mas estava sobrecarregada. Para começar, a universidade onde ela trabalhava passava por uma grande expansão. A base de clientes dobrara nos últimos anos, mas eles funcionavam praticamente com o mesmo número de funcionários e os mesmos recursos de antes.

Com a expansão da instituição viera o aumento generalizado da complexidade. Havia políticas internas novas e difíceis de decifrar. Os processos tinham ficado ineficientes e agora todos os projetos e programas exigiam mais tempo e energia. Pessoas bem-intencionadas tinham somado coisas, mas nunca subtraído. Tarefas que eram simples foram transformadas em desafios enlouquecedores e desnecessariamente complicados.

Por consequência, o esforço necessário para fazer seu trabalho se tornara hercúleo. E Kim tendia a ser muito dura consigo mesma. Ela disse: "Eu achava que, se não me empenhasse muito, sacrificando todo o tempo que tinha para mim, eu estaria sendo egoísta."

Então, um dia, caiu a ficha. As coisas eram muito *mais difíceis* do que deveriam ser. "Enxerguei tudo como realmente era: camadas e mais camadas de complexidade desnecessária. Aquilo se expandia o tempo todo e eu sufocava no meio de tanta confusão."

Kim decidiu que era hora de mudar. Quando estivesse diante de uma tarefa que parecesse impossível, ela perguntaria: "Não tem um jeito mais fácil?"

Pouco depois, um professor perguntou se a equipe de audiovisual dela poderia gravar um semestre inteiro de um curso. Era a oportunidade perfeita para testar sua nova abordagem. Se fosse antes, ela teria se atirado de cabeça na tarefa: colocaria a equipe para trabalhar durante quatro meses e procuraria modos de ir além, acrescentando trilhas sonoras, introduções, finalizações e gráficos. Dessa vez, ela parou e se perguntou se havia um jeito mais fácil de obter o resultado desejado.

Uma rápida conversa revelou que os vídeos seriam para um único aluno que não poderia ir às aulas por conta de compromissos esportivos. Ele não precisava de uma gravação muito bem produzida, cheia de recursos de som e imagem; só queria um modo de acompanhar a matéria. Então ela pensou: e se o professor simplesmente pedisse a outro aluno que gravasse as aulas com o celular? "Ele ficou satisfeitíssimo com a solução", disse Kim. E isso só lhe custou alguns minutos de planejamento, em vez de meses de trabalho de toda a equipe de audiovisual.

Trabalho não precisa ser sinônimo de dificuldade

Muitas vezes sacrificamos nosso tempo, nossa energia e até nossa sanidade mental por acreditar que o sacrifício é essencial por si só. O problema é que a complexidade da vida moderna criou uma falsa dicotomia entre coisas que são "essenciais e difíceis" e coisas que são "triviais e fáceis". É quase uma lei natural para algumas pessoas: se uma coisa é fácil, então ela não é tão importante.

A linguagem ajuda a revelar nossos pressupostos mais arraigados. Pense nestas frases reveladoras: quando realizamos algo importante, dizemos que exigiu "sangue, suor e lágrimas".[12] Afirmamos que grandes feitos são "duramente conquistados", quando poderíamos dizer apenas "conquistados".

A linguagem também denuncia nossa desconfiança da facilidade. Quando falamos de "dinheiro fácil", insinuamos que foi obtido por meios ilegais ou questionáveis. Usamos a expressão "Falar é fácil" como crítica, em geral quando buscamos invalidar a opinião de alguém.

Acho curioso recorrermos a frases como "Não vai ser fácil, mas vai valer a pena" ou "Vai ser bem difícil conseguir isso, mas temos que tentar". É como se todos aceitássemos automaticamente que o jeito "certo" é, de forma inevitável, o mais difícil.

Em minha experiência, raramente isso é questionado. Na verdade, se uma pessoa desafiar esse dogma, pode até pegar mal para ela. Nem paramos para pensar que algo essencial e valioso pode ser feito com facilidade.

E se o maior impedimento para fazermos o que importa for o falso pressuposto de que aquilo envolve um esforço imenso? E se passarmos a pensar que, se algo parece difícil, é porque ainda não encontramos o jeito mais fácil de fazê-lo?

O caminho do menor esforço

Nosso cérebro é configurado para resistir ao que percebe como difícil e receber bem o que percebe como fácil.

Essa predisposição é chamada de *princípio da facilidade cognitiva*[13] ou *princípio do menor esforço*. É nossa tendência a tomar o caminho de menor resistência para obter o que queremos.

Não precisamos ir longe para ver o princípio em ação. Compramos algo na lojinha de conveniência caríssima da esquina porque é mais fácil do que pegar o carro e ir até a loja no centro onde o preço é menor. Deixamos a louça na pia e não na lava-louça porque exige um passo a menos. Permitimos que o filho adolescente mande mensagens durante o jantar porque é mais fácil do que iniciar uma discussão tentando impor a regra de não usar celular à mesa. Aceitamos a primeira informação minimamente plausível que encontramos na internet sobre algum assunto porque é o jeito mais fácil de ter nossas perguntas respondidas. E assim por diante.

Do ponto de vista evolutivo, a tendência à facilidade é útil. Na maior parte da história humana, ela tem sido fundamental para nossa sobrevivência e nosso progresso. Imagine se os seres humanos tivessem uma inclinação para o caminho de *maior* resistência. E se o cérebro de nossos ancestrais houvesse sido programado para perguntar "Qual é o jeito mais difícil de arranjar comida? De dar abrigo à família? De manter as relações dentro da tribo?". Eles não teriam sobrevivido! Nossa perpetuação como espécie vem da preferência inata pelo caminho de menor esforço.

Sendo assim, e se, em vez de combater nosso instinto de buscar o caminho mais fácil, nós o adotássemos e até o usássemos em proveito próprio? E se, em vez de perguntar "Como fazer esse projeto dificílimo mas essencial?", simplesmente invertêssemos o raciocínio: "E se esse projeto essencial pudesse ser facilitado?"

A ideia de trabalhar menos nem sempre é bem-vista. As pessoas se sentem preguiçosas e culpadas por não fazerem um esforço extra sempre que podem. Como vimos, essa mentalidade, consciente ou não, pode ter raízes na ideia puritana de que o ato de fazer coisas difíceis tem um valor inerente. O puritanismo, além de acolher a dificuldade, também se ampliou e nos fez desconfiar da facilidade.

Como se esforçar além da conta

Num momento fundamental da minha carreira, fui procurado por uma importante empresa de tecnologia para realizar três apresentações sobre liderança. Se eu me saísse bem, eles estariam dispostos a me contratar para o ano seguinte ou até para um período maior. Era exatamente o tipo de salto profissional de que eu precisava. Eu compreendia bem as necessidades da empresa e tinha um conteúdo pronto que os líderes já haviam aprovado.

Na tarde anterior à primeira apresentação, decidi acrescentar alguns toques finais. O material todo já parecia bom, mas eu temia que não parecesse *bom o bastante*. Achei melhor jogar tudo fora e recomeçar.

Fui dominado por uma nova ideia que acreditava que os encantaria. Acabei ficando a noite toda acordado, reescrevendo a apresentação. Produzi novos slides e novas apostilas – tudo isso, é claro, sem testar nem passar por novas aprovações.

No dia seguinte, dirigi até a sede da empresa me sentindo exausto. Minha mente estava confusa. Quando cheguei, funcionava com o restinho de minha energia nervosa.

Ao começar a apresentação, senti um nó na barriga. A abertura estava malfeita. Como os slides não eram familiares para mim, eu ficava me virando para ver o que estava na tela. Um dos primeiros slides não transmitiu a ideia que eu tentava passar.

Em resumo, foi um fracasso. Eu tinha recebido uma oportunidade incrível e estraguei tudo.

O cliente cancelou as duas outras apresentações. Não me ofereceu o contrato prolongado. Foi meu fracasso profissional mais humilhante.

Quando refleti sobre como as coisas tinham dado tão errado, a razão ficou óbvia. Acertar na apresentação era tão importante para mim que pensei demais. Elaborei demais. Tentei demais. Como consequência, arranquei a derrota das garras da vitória.

O que aprendi: esforçar-se além da conta torna mais difícil obter o resultado que se quer.

O que percebi: em quase todos os fracassos que tive na vida, cometi o mesmo erro. Quando fracassava, raramente era por não ter me esforçado o suficiente, mas porque me esforçara demais.

No decorrer da vida, somos condicionados a acreditar que, para ter um resultado acima das expectativas, temos que trabalhar além do necessário. Assim, tornamos as coisas mais complicadas do que precisam ser.

Inversão sem esforço

Carl Jacobi, matemático alemão do século XIX, tinha a fama de resolver problemas muito difíceis e espinhosos. Ele descobriu que, para fazer isso com mais facilidade, "*Man muss immer umkehren*", ou "Deve-se inverter, sempre inverter".[14]

Inverter significa virar um pressuposto ou abordagem de cabeça para baixo, trabalhar de trás para a frente, perguntar "E se o oposto fosse verdadeiro?". A inversão pode ajudar a perceber insights óbvios que você deixou passar porque estava olhando o problema de um único ponto de vista. Ela pode destacar os erros do seu raciocínio. Pode abrir a mente para novas maneiras de fazer as coisas.

Presumir que todas as coisas que têm valor exigem um esforço enorme é um jeito de olhar o problema. Para muitos, é o único jeito. Eles aprenderam a resolver problemas mesmo quando estão exaustos ou sobrecarregados. São bons em fazer as coisas avançarem apesar das dificuldades.

Inversão sem esforço significa olhar os problemas pelo ponto de vista oposto. Significa perguntar: "E se isso fosse fácil?" Significa aprender a resolver problemas num estado de foco, clareza e calma. Significa ficar bom em fazer as coisas avançarem investindo *menos* esforço.

Há duas maneiras de conquistar todas as coisas que são realmente importantes. Podemos: (a) ganhar poderes sobre-humanos para fazer todo o trabalho absurdamente difícil porém essencial ou (b) nos aprimorarmos em tornar mais fácil o trabalho absurdamente difícil porém essencial.

Quando invertemos a questão, até as tarefas cotidianas que parecem esmagadoras ficam mais fáceis.

Por exemplo, outro dia eu estava arrumando meu escritório. Enquanto examinava o cômodo, vi uma impressora velha que havíamos substituído fazia pouco tempo. Estava no chão do escritório havia algumas semanas, ocupando espaço. Ela me incomodava toda vez que eu a via ali. Mesmo assim, sempre que a olhava, eu pensava em todos os passos necessários para lidar com ela: decidir se guardava ou descartava, ver o custo de substituir os cartuchos, achar um lugar que a aceitasse como doação. Toda vez, o trabalho envolvido era suficiente para uma voz sussurrar em minha cabeça: "Complicação demais!", e eu logo me resignava a deixá-la no chão.

No entanto, dessa vez me perguntei: "E se isso pudesse ser fácil?" E se todos aqueles passos que eu presumia que a tarefa exigia na verdade não fossem necessários? Então ergui os olhos de minha mesa e, por acaso, vi um dos operários de uma obra pela janela do escritório. Fui lá fora e perguntei se ele queria ficar com a impressora de graça. Ele disse que sim e a levou. O problema foi resolvido em dois minutos.

Quando nos sentimos assoberbados, pode ser que não seja algo inerente à situação. Talvez a gente só esteja complicando demais as coisas. Fazer a pergunta "E se isso pudesse ser fácil?" é um jeito de redirecionar nosso raciocínio. Talvez pareça impossível de tão simples, mas é exatamente por isso que funciona.

Enfraqueça o impossível

O abolicionista americano William Wilberforce abordou com grande convicção uma missão aparentemente impossível.[15] Como membro do Parlamento da Grã-Bretanha no início do século XIX, ele lutava pela abolição da escravidão. Queria combater o comércio de escravos com uma legislação abrangente que desse fim a esse sistema bárbaro e desumano.

No entanto, apesar de todo o seu esforço e fervor, ele não conseguia nenhuma mudança nas leis. As forças que trabalhavam contra ele eram imensas. Existiam grupos poderosos decididos a proteger o status quo e espectadores concentrados demais em outras coisas para se importar. Até tinha quem se importasse, mas não a ponto de fazer os sacrifícios necessários. As barreiras eram grandes demais.

Então James Stephen, um de seus colegas abolicionistas, teve uma ideia. Em vez de continuar atacando o sistema de frente, ele sugeriu uma abordagem indireta.

Em 1805, Stephen escreveu um panfleto intitulado *Guerra disfarçada; ou a fraude das bandeiras neutras*,[16] em que argumentava contra o uso de bandeiras neutras em navios de nações beligerantes. Numa época em que a França e a Inglaterra estavam em guerra, os cargueiros franceses navegavam com a bandeira americana neutra para se aproveitar da lei marítima que os protegia de ataques inimigos. A maioria dos navios negreiros que iam para as Índias Ocidentais também usava a bandeira americana porque, sob a legislação da época, não poderiam ser detidos pela Marinha britânica.

Stephen imaginou que, se a Inglaterra mudasse a lei e removesse essa proteção, nenhum comerciante de escravos ousaria deixar que sua embarcação fizesse a viagem. Sem a proteção das bandeiras neutras, grande parte do comércio britânico de escravos seria eliminado.

Com medo de que seus argumentos fossem rejeitados caso mencionasse o comércio de escravos, Stephen se limitou às questões da guerra. Seu tratado aparentemente não controvertido foi logo publicado e não enfrentou muita oposição.

Na verdade, esse texto deliberadamente maçante que parecia inócuo era um cavalo de Troia. A partir de janeiro de 1807, o Conselho Privado da Grã-Bretanha baixou a primeira de uma série de medidas contra Napoleão baseadas na abordagem de Stephen.[17] O efeito foi o esperado. Embora ainda houvesse muitas batalhas a serem travadas em nome da abolição e da justiça racial (e ainda há), a prática inescrupulosa de comercializar pessoas escravizadas foi formalmente proibida em todo o Império Britânico apenas dois meses depois, com a aprovação da Lei de Abolição do Comércio de Escravos.[18]

Não há dúvida de que algumas metas são dificílimas, quase impossíveis. No entanto, às vezes até os objetivos mais grandiosos podem se tornar menos difíceis quando procuramos uma abordagem indireta.

Passagem só de ida para o fácil

A Southwest Airlines fez exatamente isso quando enfrentou um tipo diferente de crise.

Desde a fundação da companhia aérea, seu modelo de negócios dependia de manter os custos baixos e fazer os aviões permanecerem o menor tempo possível em solo. Essas duas metas eram incompatíveis com o sistema tradicional de impressão de cartões de embarque. Com a tecnologia do sistema de reservas disponível na época, produzir bilhetes em papel especial para cada passageiro saía caro e a impressão era demorada. Assim, os executivos precisaram decidir se valia a pena pagar 2 milhões de dólares para montar um sistema moderno de emissão.

A defesa da criação do novo sistema era contundente: a administração pensava que, se não o criassem, corriam o risco de falir. Mas 2 milhões de dólares eram um golpe forte nas finanças de uma empresa de baixo custo, principalmente com algo que não tinha nenhuma utilidade além de se adequar às práticas do setor.

Herb Kelleher, um dos fundadores da Southwest, insistiu que tinha que haver uma solução melhor. "Estávamos numa reunião da direção tentando descobrir o que fazer", ele recorda, "quando alguém perguntou de repente: 'É mesmo tão importante para nós o que as outras companhias acham que é um cartão de embarque? Não é mais importante o que *nós* achamos que é?' Todos respondemos que só importava nossa opinião. E o diretor disse: 'Então por que simplesmente não imprimimos um pedaço de papel que diga *Isto é um cartão de embarque*?'"[19]

Foi o que eles fizeram. Em vez de perder tempo e dinheiro montando um sistema caro para imprimir os bilhetes, a Southwest decidiu emitir cartões de embarque impressos em papel comum e extraídos em máquinas automáticas simples. O mero questionamento da necessidade das características e das funções complexas de um sistema caro de emissão de bilhetes revelou uma solução muito mais simples, barata e fácil de executar.

Você se surpreenderia com a frequência com que surge uma solução mais fácil quando as premissas que fazem o problema parecer difícil são eliminadas.

Consegue empurrar algo morro abaixo?

Seth Godin, autor de diversos livros sobre marketing, disse o seguinte: "Se você está pensando em como é difícil empurrar uma empresa morro acima, ainda mais quando você mal começou, por que não abre uma empresa diferente que possa empurrar morro abaixo?"[20]

Reid Hoffman, um dos fundadores do LinkedIn, declarou: "Aprendi que parte importante da estratégia de negócios é resolver o problema mais simples, mais fácil e mais valioso."

Somos levados a crer que, para ter um sucesso extraordinário, temos que fazer as coisas que são difíceis e complicadas. Mas, em vez disso, devemos procurar oportunidades que sejam altamente valiosas *e também* simples e fáceis.

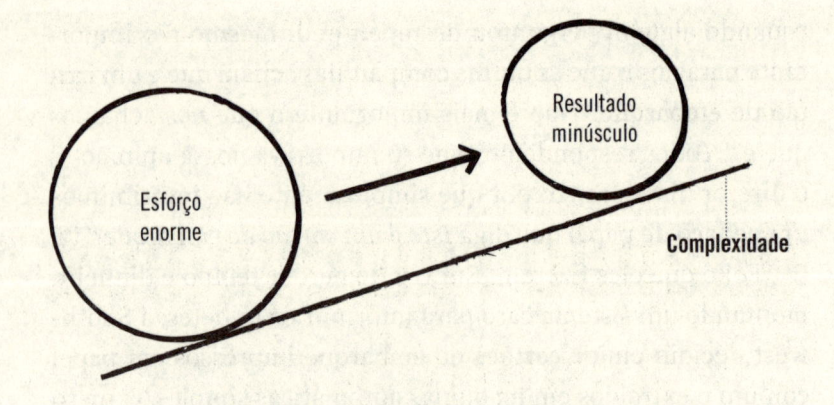

```
        ╭─────────╮
        │Resultado│
        │minúsculo│
╭───────╮╰─────────╯
│Esforço│  ↗
│enorme │ /
╰───────╯/ Complexidade
```

Arianna Huffington costumava aceitar a premissa de que tudo o que valia a pena fazer exigia um esforço sobre-humano. Com o tempo, porém, ela concluiu que só teve sucesso verdadeiro quando parou de trabalhar além da conta. "É uma ilusão coletiva achar que o excesso de trabalho e o esgotamento são o preço que precisamos pagar para sermos bem-sucedidos", ela diz.[21]

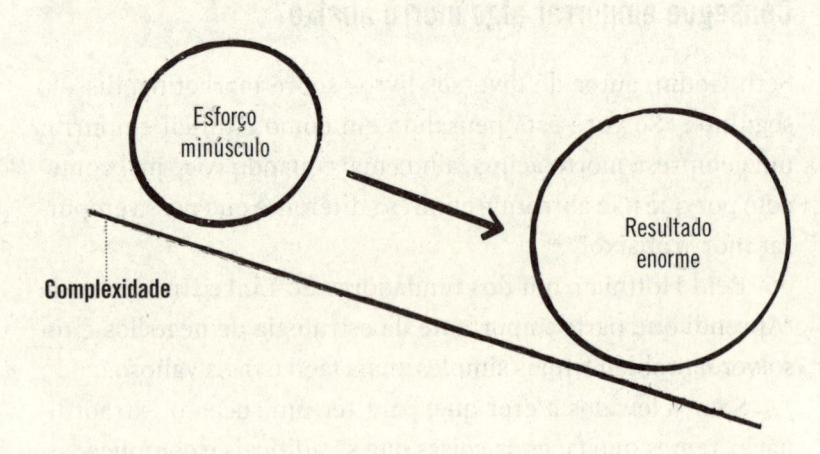

```
   ╭────────╮
   │Esforço │
   │minúsculo│       ╭─────────╮
   ╰────────╯        │Resultado│
        ↘            │ enorme  │
         ╲           ╰─────────╯
Complexidade╲
```

É claro que há caminhos difíceis para o sucesso. É claro que há exemplos de pessoas que tiveram êxito contra todas as probabilidades. Elas empurraram sua pedra morro acima graças ao mais puro esforço. É um feito heroico. E heróis criam ótimas histórias.

Quando removemos a complexidade, até o mínimo esforço pode fazer avançar o que mais importa.

Mas essas histórias criaram a falsa impressão de que empurrar a pedra morro acima é o único caminho para o sucesso. E se, para cada pessoa que se deu bem na vida por meio de um esforço heroico, houver outras que se deram bem empregando estratégias menos extraordinárias.

Vejamos o exemplo de Warren Buffett, um dos investidores mais bem-sucedidos da história, que descreveu a estratégia de investimentos da Berkshire Hathaway como "letargia beirando a preguiça".[22] Eles não buscam investir em empresas que exijam um esforço enorme para obter lucratividade. Vão atrás de investimentos aos quais seja fácil dizer sim: empresas sem complicação, simples de administrar, com vantagens competitivas de longo prazo. Nas palavras de Buffett: "Não quero pular barras com 3 metros de altura; procuro as de 30 centímetros, sobre as quais eu possa dar um passo."

Quando uma estratégia é tão complexa que cada passo é como empurrar uma pedra morro acima, faça uma pausa. Inverta o raciocínio. Pergunte: "Qual é o jeito mais simples de obter esse resultado?"

Na segunda ilustração da página 48, observamos que, quando removemos a complexidade, até o mínimo esforço pode fazer avançar o que mais importa. O ímpeto aumenta com a força da gravidade. A execução se torna sem esforço.

Quando abandonamos a falsa ideia de que o caminho mais fácil só pode ser algo inferior, os obstáculos desaparecem. E, quando isso acontece, podemos começar a revelar nosso Estado Sem Esforço.

CAPÍTULO 2

DESFRUTAR
E se pudesse ser divertido?

Em 1981, a ativista britânica Jane Tewson[23] foi dada como morta num campo de refugiados no Sudão. Contraíra malária cerebral e pneumonia viral. Não havia mais medicamentos para tratá-la. Ela se recorda de olhar de cima para o próprio corpo na cama e depois voltar a ele. Sua experiência extracorpórea se mostrou um renascimento, em vários aspectos.

Jane retornou ao Reino Unido decidida a fazer algo para mitigar o sofrimento que testemunhara em primeira mão. Ela sabia que, para ter impacto real, precisaria envolver muita gente. Mas também conhecia o desafio enfrentado por muitas entidades de caridade que tentam mudar a percepção das pessoas, obter apoio e, finalmente, arrecadar doações. Ela tinha noção de que as pessoas *querem* fazer o que é certo e contribuir, mas esse desejo funciona como a cantora e compositora Gillian Welch escreveu: "Quero fazer o certo, mas não agora."[24] Ela também reconhecia que pedir contribuições aos outros é desagradável tanto para quem pede quanto para quem recebe o pedido.

De repente, Jane teve uma ideia. Se conseguisse tornar as doações para caridade "ativas, emocionantes, envolventes e divertidas", pensou, talvez conseguisse facilitar todo o processo.

Sua ideia foi juntar algo que as pessoas já gostavam de fazer – nesse caso, assistir a comédias na TV – com uma maneira de contribuir para aliviar o sofrimento dos necessitados. A entidade recebeu o brilhante nome de Comic Relief, "alívio cômico".

A Comic Relief[25] é mais conhecida pelos Red Nose Days (Dias do Nariz Vermelho), cuja primeira edição aconteceu em fevereiro de 1988. Mais de 150 humoristas e celebridades participaram do evento televisionado, que atraiu 30 milhões de espectadores – mais da metade da população. Gente de todos os cantos do Reino Unido comprou narizes vermelhos, e a renda foi para a caridade. Foram arrecadados 15 milhões de libras num único dia. Desde então, o evento se tornou um ritual semestral que, nos 30 anos seguintes, conseguiu obter 1 bilhão de libras para as pessoas mais desfavorecidas da África e de regiões carentes do Reino Unido.[26]

Doar para caridade é importante. Participar de um dia de comédia é prazeroso. Ao juntar caridade e comédia, Jane facilitou o ato beneficente. Como resultado, as pessoas não só participam mas realmente *esperam* ansiosas para participar de novo, ano após ano.

Todos temos coisas que fazemos com regularidade não por serem importantes, mas porque desejamos ativamente fazê-las. Talvez seja ouvir um podcast específico, assistir a uma série, cantar no karaokê, dançar as músicas favoritas ou curtir jogos com os amigos.

Ao mesmo tempo, todos temos atividades importantes que *não* fazemos com regularidade porque fugimos ativamente delas.

Pode ser se exercitar, calcular as finanças, lavar a louça depois do jantar, responder a e-mails, frequentar reuniões ou acordar os filhos adolescentes para irem à escola. Nem toda atividade essencial é inerentemente prazerosa. Mas podemos fazer com que sejam.

Por que simplesmente suportamos as atividades essenciais quando podemos desfrutar delas?

essencial   prazeroso

essencial   **sem esforço**   prazeroso

    É comum separarmos o trabalho importante da diversão trivial. Muitos dizem: "Eu trabalho bastante para *depois* me divertir bastante." Para muita gente, há coisas essenciais e há coisas prazerosas. Mas essa falsa dicotomia age contra nós de duas maneiras. Por acreditar que as atividades essenciais são, quase por definição, maçantes, tendemos mais a adiá-las ou a evitá-las completamente. Ao mesmo tempo, nossa culpa incômoda pelo trabalho essencial que poderíamos estar fazendo enquanto nos divertimos suga toda a alegria de experiências que seriam prazerosas. Separar o trabalho importante da diversão torna a vida mais difícil.

Mas o trabalho essencial *pode* ser prazeroso se deixarmos de lado a noção puritana de que tudo o que vale a pena fazer precisa exigir um esforço extenuante. Por que simplesmente suportamos as atividades essenciais quando podemos desfrutar delas? Ao combinarmos atividades essenciais a atividades divertidas, podemos tornar sem esforço a execução até das tarefas mais chatas e insuportáveis.

Reduza a espera pela recompensa

Não é segredo que muitas atividades essenciais que não são especialmente alegres agora produzem momentos de alegria mais tarde. Caso se exercite e coma melhor, você terá mais saúde e emagrecerá. Se ler todo dia, acabará desenvolvendo competência em determinado assunto. Se meditar regularmente, obterá uma sensação maior de calma em sua vida. Em todos esses casos, você vivencia a recompensa *depois* que a ação ocorreu, às vezes semanas, meses ou anos mais tarde.

No entanto, as atividades essenciais não têm que ser apreciadas só em retrospecto. Também podemos sentir alegria na atividade em si. Para isso, basta reduzir o tempo decorrido entre a ação e a satisfação unindo a atividade essencial a uma recompensa.

Certa vez, ao voltar para casa depois de uma semana de viagens, eu me dei conta de que tinha um monte de telefonemas acumulados para retornar. A princípio, a tarefa me pareceu árdua e penosa. Mas aí percebi que deveria mudar de estratégia e me perguntei: "Como ligar para essas pessoas pode ser uma coisa prazerosa?" Em questão de segundos, tive a ideia de fazer as chamadas na banheira. Isso mudou toda a experiência. Fiquei de bom humor. Disse a cada pessoa que estava ligando enquanto relaxava na banheira, e todas riram. Quando terminei as ligações, quase fiquei triste. Queria ter mais gente para quem ligar.

Ron Culberson é bom em muitas coisas.[27] É palestrante, escritor e um talentoso humorista. Na verdade, há poucas coisas em que ele não se destaque. Mas no Pinewood Derby ele finalmente encontrou alguém à altura.

O Pinewood Derby é uma corrida de carros em miniatura sem motor realizada por grupos de escoteiros lobinhos nos Estados Unidos. Na descrição de Culberson, é "uma competição em que meninos novos demais para usar facas ou serrotes recebem um bloco de madeira para seus pais esculpirem um carro de corrida e competir com outros pais".

É claro que, quando o filho de Culberson lhe pediu que construísse o carro mais veloz para ganhar o Derby, ele concordou. Só havia um problema: era preciso habilidade em trabalhos manuais, um talento que Culberson não tinha.

Culberson fez o possível para montar um carro que funcionasse. Deu muito trabalho, mas ele se esforçou ao máximo. Então chegou o dia da corrida. E eles ficaram em último lugar.

Só que o filho não desistiu e, no ano seguinte, pediu novamente ao pai que construísse um carro veloz. Culberson gemeu por dentro, mas fez o que pôde mais uma vez. Naquele ano, chegaram em penúltimo. O filho já estava desanimando, e Culberson começava a detestar o processo como um todo.

Assim, no terceiro ano, eles adotaram uma estratégia diferente: pai e filho concordaram em trocar velocidade por estilo. Naquele ano, a meta seria ganhar o Prêmio de Design em vez do Prêmio de Velocidade.

Isso mudou tudo. Culberson não gostava de construir um carro veloz porque não era bom nisso. "A experiência toda se tornou um erro de projeto atrás do outro. Cada carro era uma bagunça desastrosa de cantos lascados, eixos quebrados e cola", ele recorda. "Mas, quando optamos por priorizar o estilo, ganhei um novo fôlego. Consegui aproveitar meu talento humorístico para criar um projeto engraçado e criativo que exigia pouquíssima habilidade artesanal."

Naquele ano, eles projetaram um carro que parecia um sanduíche de sorvete, entregue numa caixa de sanduíche de sorvete. Era de uma criatividade extraordinária e foi o assunto do evento. Para eles, no entanto, o trabalho pareceu sem esforço. E, embora não tenham levado o Prêmio de Design, isso não importava mais, pois a alegria da experiência foi uma recompensa suficiente por si só.

"Existem muitas experiências no trabalho e na vida pessoal que são chatas, banais e até estressantes. Sentimos que não temos opção senão aguentá-las ou evitá-las", Culberson diz. Mas, "se conseguirmos decompor o processo em alguns passos, poderemos dar um jeito de tornar esses passos mais suportáveis ou, melhor ainda, divertidos".

Há uma grande vantagem em combinar as atividades mais prazerosas às mais essenciais. Afinal de contas, você provavelmente vai fazer as coisas agradáveis de qualquer jeito. Vai assistir ao seu programa favorito, escutar o novo audiolivro que acabou de descobrir ou tomar um banho relaxante em algum momento. Então por que não unir isso a correr na esteira, lavar a louça ou retornar telefonemas? Talvez pareça óbvio. Mas quanto tempo você perdeu tentando se forçar a fazer as coisas importantes porém difíceis usando a pura determinação em vez de torná-las divertidas?

Um líder com quem trabalhei considera correr na esteira todo dia um hábito essencial. Mas era inconstante nisso até que uniu o exercício a uma prática diária agradável que nunca perdia: escutar seu podcast favorito. Agora, ele só escuta o podcast se estiver andando ou correndo na esteira. Ele não se recompensa depois de terminar o exercício e, sim, *durante*. Desde que tornou prazerosa essa prática essencial, descobriu que manter a regularidade é moleza.

Unindo o útil ao agradável

Lá em casa, jantamos juntos em família toda noite. É um ritual essencial para nós. Tornamos a refeição prazerosa iniciando o jantar com muitos brindes, elogiando uns aos outros pelas realizações do dia e declarando pelo que somos gratos.

É depois do jantar que tudo começa a desmoronar.

Quando chega a hora de tirar a mesa e lavar a louça, é espantoso ver como nossos filhos desaparecem, rápidos e sorrateiros. Aí vem a tarefa ingrata de chamá-los de volta, um a um, para ajudar na cozinha. E ainda ter que reagir a desculpas como "Preciso ir ao banheiro" ou "Tenho dever de casa". É exaustivo e, obviamente, nossos filhos também não gostam desse momento. Eles detestam receber ordens e ficam contrariados com a coisa toda. O trabalho é necessário, mas não é agradável para nenhum dos envolvidos. Até que decidimos abordar a questão de um jeito diferente.

Reimaginamos tudo como um jogo. Juntos, criamos um placar: cada pessoa recebe responsabilidades claras (como tirar os pratos da mesa ou varrer o chão) e, para cada tarefa cumprida, ganha um ponto. Depois de algumas rodadas de treino, o jogo começou "pra valer". Sabe o que aconteceu? Nada.

O jantar terminou e, mais uma vez, as crianças sumiram misteriosamente.

Só quando minha filha mais velha acrescentou um novo ingrediente ao processo é que tudo mudou. Ela pôs para tocar uma playlist de clássicos da Disney, o tipo de música que dá vontade de cantar junto. Colocamos o som bem alto, e isso transformou a tarefa numa festa de karaokê.

Agora fazemos isso regularmente. E, por mais mal-humorados que estejamos em determinado dia, é impossível não participar. Agora, se você nos visitar depois do jantar, vai nos encontrar berrando o tema de *Frozen* ou dançando com as músicas de *O Rei Leão*. Lembra aquela cena famosa em que Tom Cruise e Bryan Brown preparam drinques no filme *Cocktail*. Estamos varrendo, limpando, lavando, enxugando e guardando a louça, e, ao mesmo tempo rindo, dançando e cantando.

Não subestime o poder da trilha sonora certa para transformar uma tarefa monótona em um momento de pura diversão.

Crie bloquinhos de alegria

Trabalho e diversão podem não apenas coexistir: eles podem se complementar. Quando juntamos essas duas coisas, fica mais fácil desenvolver a criatividade e encontrar novas ideias e soluções. Vejamos o exemplo de Ole Kirk Christiansen,[28] que, enquanto consertava objetos em seu armazém vazio, teve a ideia de transformar sua empresa de marcenaria, que ia mal das pernas, numa fábrica de brinquedos. Ele chamou a empresa de Lego, da expressão dinamarquesa *"leg godt"*, que significa "brincar bem".

Quando a Segunda Guerra Mundial abalou o setor de brinquedos, em vez de desistir e fechar a fábrica, ele se manteve atento à chegada do plástico à produção em massa e acabou criando os bloquinhos de plástico da Lego, o que levou a toda uma série nova de produtos. Mais tarde, Christiansen e sua equipe convidaram crianças à sede e, observando-as brincar, se inspiraram para criar kits de cidades completas com moradores, prédios, ruas e carros, que aumentaram exponencialmente as vendas.

Até hoje a sede da Lego ferve de atividade e alegria. E essa cultura de brincadeira produtiva continua a alimentar a criatividade e a gerar de tudo, de parques temáticos Legoland no mundo inteiro a videogames, programas de TV e filmes com sucesso de bilheteria. Em 2015, a Lego foi considerada a "marca mais poderosa do mundo".[29] Também é um ótimo exemplo de como trabalhar se divertindo faz as tarefas difíceis parecerem sem esforço.

Da mesma maneira que a Lego criou seus bloquinhos projetados para serem empilhados e encaixados em todo tipo de combinação, você também pode empilhar e combinar suas atividades mais essenciais e mais prazerosas de modo a construir novas experiências sem esforço.

Certa vez, Anna e eu fizemos nossa lista de 20 bloquinhos de alegria e a mostramos um para o outro. Havia "arrumar um quarto, gaveta ou armário que estava uma bagunça (isto é, criar ordem a partir do caos)", "escutar determinada música muitas e muitas vezes seguidas" e "comer amêndoas cobertas de chocolate amargo". Foi fácil fazer essas listas. E, com elas, ficou ainda mais fácil criar experiências personalizadas que fossem essenciais e prazerosas.

Começamos com algo que era muito importante mas chatíssimo: nossa reunião financeira semanal. Na realidade, era muito menos frequente que semanal, porque, em geral, eu a adiava em detrimento de qualquer outra atividade. Sabia que, depois de suportá-la, haveria uma recompensa: a sensação de termos nossas finanças em ordem, mas, como a recompensa acontecia depois do fato, era fácil adiar a reunião. E assim fazíamos.

Munidos de nossos bloquinhos de alegria, nós decidimos montar uma nova experiência que nos deixasse ansiosos por ela. Compramos amêndoas cobertas com chocolate amargo. Pusemos "Feeling Good", de Michael Bublé, para tocar ao fundo (no modo *repeat*). Tratamos a ocasião mais como um encontro romântico do que como uma obrigação rotineira. Foi aí que notei um elemento da reunião que antes não percebera: o exercício todo envolvia arrumar uma área bagunçada, as finanças da família. Ao notar que criar ordem a partir do caos fazia parte da experiência, ganhei um benefício tangível e imediato.

Transformamos uma tarefa que antes mal suportávamos num ritual que nos deixa ansiosos por repetir.

Desenvolva hábitos com alma

Muito já se escreveu sobre o hábito, mas nem tanto sobre os rituais. Apesar de essas palavras serem usadas de forma intercambiável, os economistas comportamentais insistem que não são a mesma coisa.

Os rituais são semelhantes aos hábitos no sentido de que "quando faço X, também faço Y".[30] Mas diferem deles num componente fundamental: a satisfação psicológica que se sente *enquanto* são realizados. Os hábitos explicam "o que" se faz; os rituais tratam de "como" se faz.

Os rituais facilitam a manutenção dos hábitos essenciais por lhes incutir significado. Por exemplo, pense na abordagem de organização de Marie Kondo, autora de *A mágica da arru-*

mação. Ela não nos convida a simplesmente nos livrar das coisas que entulham nossos armários; ela sugere um ritual para desapegar delas. Temos que pensar em como os objetos nos trazem alegria e agradecer aos itens que estamos descartando pelo trabalho prestado.

Ela escreve: "O ato de dobrar significa bem mais do que simplesmente deixar as roupas compactas para facilitar o armazenamento. É um gesto de cuidado, uma expressão de amor e gratidão pela maneira como elas sustentam nosso estilo de vida. Portanto, quando dobramos, devemos agradecer de coração às roupas por protegerem nosso corpo."[31]

A mágica aqui é que a recompensa vai além de apenas se sentir aliviado por ter finalmente as roupas dobradas e riscar essa tarefa da lista. O ritual passa a ter significado em si e por si.

Alguns rituais têm um significado que vai além do que pode ser plenamente reconhecido por quem está vendo de fora. Isso acontecia com Agatha Christie, que escreveu seus melhores mistérios comendo maçãs na banheira;[32] com Beethoven, que, ao preparar seu café toda manhã, contava, um por um, exatamente 60 grãos de café por xícara;[33] com os antigos romanos do tempo de César, que tendiam a inventar um ritual para quase todos os aspectos da vida cotidiana e transformaram em cerimônia religiosa até o primeiro barbear – o *depositio barbae*.[34] Por mais bobos que esses comportamentos pareçam para quem vê de fora, fazê-los com regularidade nos dá firmeza, alivia a ansiedade e nos devolve ao Estado Sem Esforço de um jeito que, em geral, só nós mesmos compreendemos.

Nossos rituais são hábitos em que pusemos nossa impressão digital. São hábitos com alma.

Eles têm o poder de transformar uma tarefa maçante numa experiência que traz alegria.

Quando convidamos a alegria a entrar em nossa rotina, não ficamos mais ansiando pelo dia distante em que ela chegará. Esse dia é sempre hoje.

Quando associamos pequenos fragmentos de deslumbramento a tarefas corriqueiras, não ficamos mais esperando a época em que finalmente nos permitiremos relaxar. Essa época é sempre agora.

Quando a diversão e as brincadeiras iluminam com mais frequência o nosso dia a dia, nos aproximamos mais do nosso Estado Sem Esforço natural.

Capítulo 3

LIBERTAR-SE
O poder de deixar pra lá

Eu estava me olhando no espelho, admirando minha fantasia de Stormtrooper, a tropa de *Star Wars*.

O momento foi o apogeu de um sonho que eu tinha desde os 6 anos, quando um de meus irmãos mais velhos sugeriu: "Não seria muito legal ter uma roupa de Stormtrooper igual à que aparece no cinema?"

A combinação do frenesi em torno do lançamento de *O retorno do jedi* e do apelo instantâneo de qualquer sugestão vinda do irmão mais velho gravou a ideia a ferro e fogo em minha mente. Ela ficou lá quietinha, sem ser questionada, até que, 30 anos depois, lá estava eu na loja, fantasiado dos pés à cabeça.

Naquele momento, vi claramente que, na verdade, eu não tinha a menor vontade de possuir uma fantasia de Stormtrooper. A ideia fora acrescentada a meu cérebro como um item de "coisas a fazer" três décadas antes e se escondera no meu inconsciente. Ficara todo esse tempo ocupando algum espaço mental.

Você tem algum item assim, que mora em sua mente sem pagar aluguel? Metas, sugestões ou ideias obsoletas que se enfiaram em seu cérebro há muito tempo e fixaram residência permanente? Mentalidades que já perderam qualquer utilidade mas são parte sua há tanto tempo que você mal repara nelas?

Agora, Anna e eu temos uma expressão para descrever essa experiência. Quando cogito agir com base em alguma sugestão sem ponderar adequadamente, ela me pergunta: "Isso é um Stormtrooper?"

Os Stormtroopers assumem muitas formas: arrependimentos que continuam a nos perseguir, mágoas que não conseguimos abandonar, expectativas que foram realistas em algum momento mas que agora só atrapalham.

Esses intrusos são como aplicativos desnecessários que ficam rodando em segundo plano no computador, deixando todas as outras funcionalidades mais lentas. À primeira vista, parece que não afetam sua velocidade e agilidade, mas, conforme vão se acumulando, o sistema operacional roda mais devagar. Você esquece o nome de alguém que acabou de conhecer. Lê e relê o mesmo parágrafo sem compreender. O cérebro se cansa ao tentar tomar decisões simples, como o que comprar no supermercado. Erros minúsculos expandem sua pegada no cérebro e começam a parecer imensos fracassos. Para recuperar espaço mental, você precisa despachar esses Stormtroopers.

Concentre-se no que você tem

O escritor francês Guy de Maupassant conta a história do Sr. Hauchecorne,[35] homem trabalhador que se esforçava para ser um membro digno de sua comunidade – até ser falsamente acusado de um ato que não cometeu. O suposto crime foi pegar a carteira perdida de alguém na calçada (na verdade, o que ele pega é um pedaço de barbante) e não devolver. Ele era inocente, mas o boato foi passando de vizinho em vizinho e logo os moradores da cidade começaram a julgá-lo com rigor. Passaram a tratá-lo de um jeito diferente. Em resumo, ele caiu no ostracismo.

O Sr. Hauchecorne poderia ter deixado aquilo pra lá. Poderia ter perdoado seus acusadores por se recusarem a escutar o seu lado da história. Poderia ter admitido em silêncio o erro deles e se consolar em saber que sua consciência estava limpa. E, com isso, poderia continuar sendo útil e diligente a serviço de sua comunidade, como pretendia originalmente.

No entanto, ele não conseguiu deixar aquilo pra lá. Ficou obcecado. Adoeceu. Aquilo o consumiu, enfraqueceu e acabou por matá-lo. Seu coração ficou tão cheio de raiva e indignação com a injustiça que não havia mais espaço para o perdão. Mesmo em seu leito de morte, delirante e fatigado, ouviram-no murmurar amargamente: "Um pedacinho de barbante. Um pedacinho de barbante."

Quando se é vítima de alguma adversidade, é difícil não ficar obcecado, reclamar e lamentar-se por tudo que se perdeu. Na verdade, reclamar é uma das coisas mais fáceis de fazer. É tão fácil que muita gente faz isso sem parar: quando alguém que vai se encontrar conosco atrasa, quando os vizinhos fazem muito barulho, quando não há vaga para estacionar no dia em que estamos atrasados, quando assistimos ao noticiário e assim por diante.

Vivemos numa cultura da reclamação que se inebria ao manifestar sua indignação – principalmente nas redes sociais, que parecem uma torrente interminável de queixas e rabugices sobre o que é insatisfatório ou inaceitável. Mesmo que não nos envolvamos nisso diretamente, ainda assim pode nos afetar. Em grande quantidade, as lamúrias dos outros nos provocam um câncer emocional. Começamos a perceber mais injustiças em nossa vida. São os Stormtroopers ocupando espaços valiosos no cérebro e no coração.

Você já percebeu que, quanto mais reclama – e quanto mais lê e ouve outras pessoas reclamarem –, mais fácil fica encontrar motivo para reclamar? Por outro lado, já percebeu que, quanto mais agradecido fica, mais coisas tem a agradecer?

Reclamar é o exemplo supremo de algo que é "fácil mas trivial". Mas pensamentos tóxicos como esse, por mais triviais que sejam, se acumulam depressa. E quanto mais espaço mental ocupam, mais difícil fica retornar ao Estado Sem Esforço.

Quando você se concentra em uma razão para ser grato, o efeito é instantâneo. Imediatamente passa do *estado de escassez* (arrependimentos, preocupação com o futuro, sensação de ficar para trás), ou de ver o que falta, para o *estado de abundância* (o que está dando certo, que progressos você está fazendo, que potencial existe neste momento), ou de ver o que tem. Você se lembra de todos os recursos, todos os ativos, todas as habilidades que possui à sua disposição e pode usá-los para fazer com mais facilidade o que é essencial.

Nas ilustrações da próxima página, podemos ver que, quando nos concentramos nas coisas que temos, elas se expandem.

A gratidão é poderosa e catalítica. Ela tira das emoções negativas o oxigênio de que precisam para sobreviver. Também gera um sistema positivo e autossustentável onde e quando é aplicada.

A *teoria ampliar e construir* da psicologia[36] explica como isso acontece. As emoções positivas nos abrem para novos pontos de vista e possibilidades. Essa abertura incentiva ideias criativas e promove laços sociais. Essas coisas nos transformam. Elas destravam novos recursos físicos, intelectuais, psicológicos e sociais. Criam uma "espiral ascendente" que aumenta a probabilidade de lidarmos bem com o próximo desafio que enfrentarmos.

O QUE LHE FALTA

O QUE VOCÊ TEM

O QUE LHE FALTA

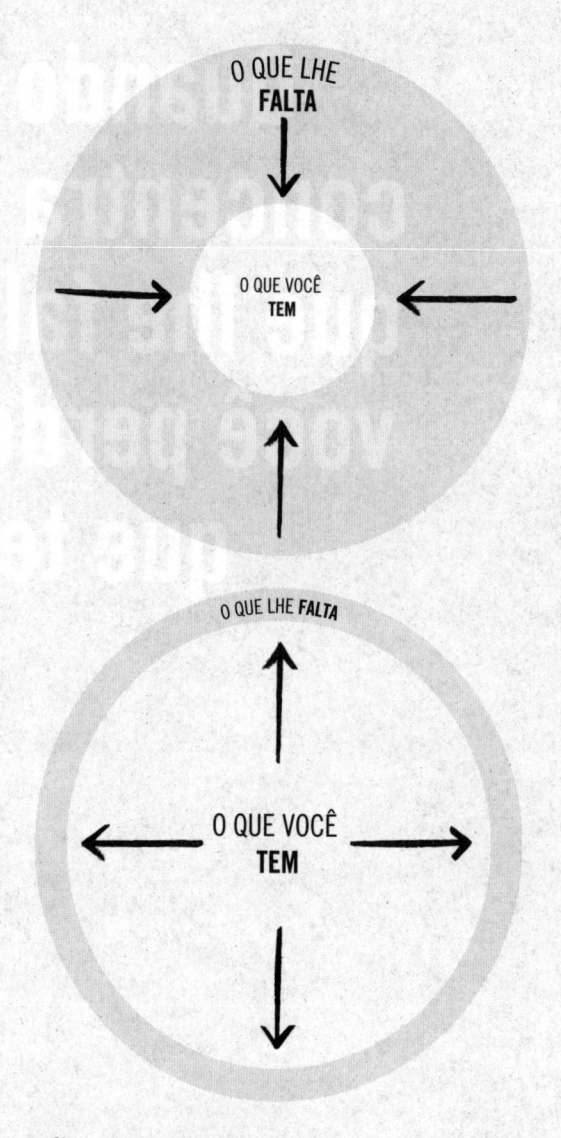

O QUE VOCÊ TEM

E o benefício não para em nós; quando manifestamos nossa gratidão aos outros, vemos seu rosto se iluminar. Eles ficam menos sobrecarregados e mais expansivos. É gerado um ciclo positivo.

Quando se concentra no que lhe falta, você perde o que tem.

Quando se concentra no que tem, você consegue o que lhe falta.

Reclamar também cria um ciclo autossustentável. Só que, em vez de facilitar, esse sistema dificulta fazer o que tem importância. É uma "espiral descendente". Quando temos emoções negativas, nossa mentalidade se estreita (as reações se restringem a lutar, fugir ou paralisar). Ficamos menos abertos a novas ideias e a outras pessoas. Isso enfraquece nossos recursos físicos, intelectuais e psicológicos, esgota nossas reservas e torna mais difícil lidar com os próprios desafios ou frustrações que provocaram a reclamação inicial. E assim vai.

Jim Collins usa a metáfora do volante do motor – um disco enorme e pesado montado sobre um eixo – para ilustrar como se cria um sistema autossustentável: "Não há mais necessidade de empurrar com mais força do que na primeira volta e o volante gira cada vez mais rápido."[37] Ele prossegue: "Três voltas... quatro... cinco... seis... o volante ganha velocidade... sete... oito... você continua... nove... dez... ele ganha ímpeto... 11... 12... move-se mais rápido a cada volta... 20... 30... 100. Aí, em algum momento acontece a ruptura!... O grande e pesado disco parece voar com um ímpeto quase impossível de deter."

Em poucas palavras, um sistema é autossustentável quando exige cada vez menos investimento de energia com o passar do tempo. Depois de posto em movimento, mantê-lo fica mais fácil, depois fácil e, finalmente, sem esforço.

A fórmula da gratidão

Anna, minha esposa, teve uma colega de trabalho que foi um desafio e tanto na sua vida. Ela criticava Anna o tempo todo. Também reclamava do emprego e falava que queria muito pedir demissão. A situação era extenuante em termos emocionais, mentais e físicos. Mas Anna era dedicada ao trabalho e precisava de um jeito não só de lidar com aquilo como também, se possível, estabelecer um relacionamento mais positivo e produtivo.

Seria fácil para Anna ser arrastada para a negatividade. Seria fácil para ela chegar em casa à noite e se queixar das reclamações da outra. Em vez disso, ela decidiu procurar aspectos na colega pelos quais ser grata. No começo, foi difícil. Mas aí Anna percebeu que muitos pontos negativos daquela mulher, quando olhados de outro modo, podiam ser invertidos e vistos como positivos.

Quando ela falava da saudade que tinha do trabalho anterior, Anna podia ficar grata porque a colega tinha coisas positivas a dizer sobre o antigo emprego.

Quando reclamava de algo em que estavam trabalhando, Anna podia ficar grata por ela estar fazendo seu trabalho.

Quando criticava os outros, suas observações eram inteligentes. Anna podia se sentir grata por isso.

Depois que Anna adotou esse hábito, ficou cada vez mais fácil enxergar os pontos fortes da colega. Com o tempo, Anna foi capaz de elogiá-la por essas qualidades, o que pegou a colega de surpresa. Pelo jeito, ela não recebia muito feedback positivo, e isso pareceu melhorar seu humor. Com o tempo, ela começou a confiar em Anna, e as duas se tornaram amigas – não só colegas que se toleravam, nem mesmo colegas que conseguiam executar tarefas juntas, mas amigas de verdade. E, embora não trabalhem mais juntas, são amigas até hoje.

B. J. Fogg, fundador do Behavior Design Lab da Universidade Stanford, diz que, para criar um novo hábito, só precisamos procurar algo que já fazemos e vincular a isso um novo comportamento. Sua fórmula resumida é: "Depois de fazer [X], eu vou fazer [Y]."[38]

Podemos aplicar essa ideia para fazer da gratidão um hábito usando o seguinte modelo: *"Depois de reclamar, vou expressar gratidão por alguma coisa."*

Assim que comecei a aplicar essa fórmula, fiquei chocado ao notar quanto eu reclamava. Eu me considero uma pessoa positiva e otimista, mas, quando passei a prestar atenção, percebi que, na verdade, me queixava muito, em geral sem ter consciência disso.

Resolvi vincular a gratidão a todas as reclamações. Quando me pegava dizendo "Passar pela segurança do aeroporto foi um transtorno hoje", eu acrescentava "Que bom que estou em segurança no avião". Depois de resmungar "Meu filho ainda não fez o dever de matemática", eu dizia "Que bom que ele está tão interessado na leitura do livro novo". Ao lamentar que "Eu esperava perder mais peso esta semana", eu acrescentava "Que bom zelar pelo meu peso e pela minha saúde".

Após alguns dias seguindo essa regra, notei que começava a me pegar no meio de uma reclamação e rapidamente terminava a frase com palavras de gratidão. Não demorou para que eu me pegasse somente *pensando* em reclamar – e no lugar já pensava em algo para agradecer. No começo, a mudança foi deliberada e difícil; depois, deliberada e mais fácil; finalmente, sem esforço.

Libere o rancor de sua função

Chris Williams sabia o que tinha importância em sua vida.[39] A família não era só a coisa mais importante; para ele, era a única.

Infelizmente, numa noite gelada de fevereiro de 2007, o carro que ele dirigia foi atingido por um motorista adolescente imprudente. A esposa de Williams, o bebê ainda na barriga dela, a filha de 9 anos e o filho de 11 não sobreviveram ao impacto. O filho de 6 anos ficou gravemente ferido e o filho de 14, que estava na casa de um amigo na hora do acidente, nunca mais foi o mesmo.

Todos esperaríamos que Chris ficasse destruído. Ninguém o culparia se fosse tomado de fúria em meio ao luto. É a coisa mais natural de imaginar: seu ressentimento se fechando em torno dele, marcando-o, seguindo-o durante décadas. E isso tornou ainda mais extraordinária a escolha de Williams naquele momento.

Minutos depois do acidente, sentado naquele cenário de devastação, Williams teve um momento de clareza. Não no dia seguinte, não um ano depois, mas bem ali, naquela cena de violência inimaginável, ele viu duas vidas possíveis à sua frente.

No primeiro futuro, ele se entregava à raiva e à amargura nascidas naquele momento. Sabia que escolher esse futuro o faria carregar o fardo dessas emoções pelo resto da vida. Significaria passar esse fardo aos filhos sobreviventes, causando cicatrizes emocionais que talvez nunca fossem curadas.

No segundo futuro, ele se livrava desses fardos: estaria presente para os filhos sobreviventes enquanto se recuperavam do trauma físico e psicológico que tinham sofrido. Era um futuro cheio de propósito e significado. Talvez fosse a escolha mais difícil no momento, mas, inquestionavelmente, era a única que levaria a uma vida mais fácil.

Naquele instante extraordinário, ele decidiu perdoar. Isso não quer dizer que não sentiu raiva nem sofrimento, porque sentiu. Mas optou por não tornar o sofrimento ainda mais difícil para si chafurdando em fúria e ressentimento. Em vez disso, ele dedicou sua energia, sua força vital, a se libertar do que o oprimia.

Você já se agarrou ao rancor contra pessoas que o magoaram? Desperdiçou energia mental preciosa ficando zangado, magoado, chateado ou ressentido? Quanto tempo a ferida ficou ali latejando? Semanas? Meses? Anos? Décadas?

A história de Williams mostra o oposto. E, se ele conseguiu escolher o caminho do perdão depois da tragédia impensável que sofreu, não há dúvida de que todos nós podemos nos libertar dos rancores aos quais nos agarramos, que nos impedem de nos concentrarmos nas coisas verdadeiramente importantes.

O primeiro passo para isso é se perguntar: *Para que função contratei esse rancor?*

De acordo com o falecido Clayton Christensen, professor da Harvard Business School considerado o maior pensador sobre gestão, ninguém compra produtos ou serviços. Na verdade, as pessoas os "contratam" para exercer uma função.[40]

De um jeito parecido, costumamos contratar um rancor para satisfazer uma necessidade emocional que, no momento, não está sendo atendida. Mas, quando fazemos uma avaliação de desempenho, descobrimos que os rancores não realizam um bom trabalho. Eles nos consomem recursos, mas não dão um retorno satisfatório. Assim, temos que liberar o rancor de sua função.

Às vezes contratamos um rancor para nos sentirmos no controle. Tentamos provar a nós mesmos e aos outros que estamos certos e que eles estão errados. No início, nos sentimos superiores e até poderosos com isso. Temos uma sensação de controle, mas ela é falsa e fugidia porque, na verdade, é o rancor que nos controla. Como Língua de Cobra a serviço do rei de Rohan em *O senhor dos anéis*,[41] o rancor finge ser subserviente, quando na verdade nos domina. Ele também nos mantém presos num círculo interminável de culpa, presunção e autodepreciação.

Há ocasiões em que contratamos um rancor para chamar atenção. Quando ouvem nossa história de vitimismo, recebemos empatia e apoio, o que nos incentiva a recontar nossa história várias vezes. Isso é fácil e até satisfatório no momento, mas leva a um caminho de frustrações. Por trás da compaixão que os outros expressam, também há fadiga. É por isso que você sempre precisa encontrar pessoas novas para contar sua história.

Podemos contratar um rancor para nos eximirmos de nossos erros. Se temos alguém em quem jogar a culpa, não precisamos assumir a responsabilidade pela nossa raiva. Recebemos permissão implícita para chafurdar na negatividade, sem ter que nos justificar a ninguém. Mais uma vez, isso parece libertador no curto prazo, mas no longo prazo o prêmio não é a liberdade. O prêmio é vivermos cativos da raiva, do ressentimento, do desprezo e da negatividade.

Contratamos um rancor para nos proteger. Pensamos que, por desconfiar da pessoa ou das pessoas que nos magoaram uma vez, conseguiremos evitar que nos magoem outra vez. Achamos que o rancor cria uma armadura emocional. Mas isso também é um engano. O rancor nos deixa mais vulneráveis, mais assustados. Fica mais difícil confiar, deixar qualquer um se aproximar.

Certa vez trabalhei para uma empresa altamente lucrativa, de cerca de 1 milhão de dólares em receita por funcionário. Enquanto discutíamos como conseguiriam se manter empreendedores e enxutos enquanto escalavam o negócio, sugeri que tivessem sempre em mente a seguinte orientação: "Contrate devagar, demita depressa."[42] É uma boa regra para uma empresa em crescimento – e uma boa regra para uma vida livre de rancores. (Se bem que, no caso dos rancores, se tiver como nem contratá-los, melhor ainda.)

Aceite o que você não pode controlar

Faltava pouco para meu amigo Jonathan Cullen[43] se tornar pai quando ficou sabendo que seu filho tinha síndrome de Down. Depois de nascer, Tristan passou meses na UTI neonatal lutando pela vida. O controle de John sobre a situação diminuía a cada dia e quanto mais indefeso ele se sentia, mais a preocupação o oprimia.

Os amigos que sempre agiam e ajudavam nas crises foram os que ligaram, mandaram comida, previram do que ele e a esposa precisavam sem nem perguntar. Enquanto isso, os amigos mais passivos, que tendiam a recuar em situações difíceis, foram os que ficaram paralisados na inação e sumiram. Provavelmente não foi um comportamento mal-intencionado. Com certeza não era incoerente. E talvez não devesse ter sido tão inesperado.

"Quando alguém lhe mostra quem é, acredite na primeira vez", disse Maya Angelou.[44] Assim, Jonathan decidiu começar a acreditar neles. Abandonou suas expectativas irreais de como gostaria que eles se comportassem. Aceitou a realidade como era e como seria.

Só então ele encontrou a verdadeira aceitação: o primeiro passo necessário para uma nova trajetória de vida. Afinal, como escreveu Henry Wadsworth Longfellow, "a melhor coisa que se pode fazer quando chove é deixar chover".[45]

Quando nos livramos de nossa necessidade de punir quem nos magoou, não é o culpado que se liberta. Somos nós. Quando abrimos mão de rancores e lamúrias em favor do perdão e da compaixão, a troca não é elas por elas; é bastante desigual. E a cada troca voltamos para mais perto da tranquilidade do nosso Estado Sem Esforço.

CAPÍTULO 4

DESCANSAR
A arte de não fazer nada

Jerry Swale é um cirurgião oftalmológico que tentou fazer tudo durante muito tempo. A esposa recorda que ele ficava sentado com a cabeça nas mãos e dizia: "Não posso fazer tudo, não posso fazer tudo!" Mas depois ele se levantava e declarava: "Eu *tenho* que fazer tudo!" E tentava desesperadamente se forçar a trabalhar mais.

Aos 56 anos, porém, ele começou a ter alguns problemas de saúde, como uma urticária nas mãos que ameaçava pôr fim à carreira cirúrgica. Ele sabia que precisava ir ao dermatologista, mas estava tão ocupado no trabalho que não conseguia abrir espaço na agenda para marcar uma consulta.

Finalmente, durante uma longa viagem de carro com a esposa, ele percebeu que o espaço para se tratar não apareceria magicamente em sua vida. Ele teria que criar espaço. Ou seja, pela primeira vez em muito tempo, cuidar de si precisaria prevalecer sobre cuidar dos pacientes. Assim, junto da esposa, ele estabeleceu algumas mudanças.

Disse a todo mundo no consultório que precisaria reduzir as horas de trabalho, e eles o apoiaram.

Na igreja foi mais difícil. Mas, com a nova percepção de que realmente não poderia servir bem aos outros em seu estado de exaustão, ele saiu do conselho e explicou por quê. Não demorou para outras três pessoas sobrecarregadas também saírem. Foi como se ele lhes tivesse dado permissão.

Ele foi ao dermatologista. Começou a andar de bicicleta todo dia, algo que adorava. Começou a dormir oito horas por noite – e não mais apenas as cinco ou seis que antes dizia que bastavam.

Pouco depois, seu sócio avisou, com apenas um mês de antecedência, que ia se aposentar, e Jerry teve que assumir todos os pacientes dele. Se Jerry tivesse lidado com essa responsabilidade e carga de trabalho extras ainda naquele antigo estado de esgotamento, talvez tivesse sido seu fim. Um ano antes, "esse estresse poderia ter lhe provocado um infarto", a esposa comentou.

Felizmente, com a energia restaurada, ele conseguiu enfrentar o desafio com relativa facilidade. Teve clareza do que podia ou não assumir. Foi capaz de tomar decisões mais depressa e executá-las com mais eficiência. O descanso se mostrou um antídoto para o estresse pré-existente e futuro. E o manteve firme no Estado Sem Esforço.

Aprenda a relaxar

Parece esquisito que alguém precise aprender a tirar uma folga. Mas, nessa nossa cultura em que tudo funciona 24 horas por dia, algumas pessoas simplesmente não sabem relaxar. É irônico que, para elas, não fazer nada seja dificílimo. Joe Maddon, treinador do time de beisebol Los Angeles Angels, aprendeu que jogadores de beisebol profissionais costumam estar entre essas pessoas.[46]

Seria de esperar que Maddon, que trabalhou com os Angels durante 31 anos e que, nesse período, ocupou uma longa lista de cargos, entre eles treinador, olheiro, instrutor de tacadas, auxiliar técnico e instrutor da primeira base, defendesse uma preparação máxima, incessante. Sem dúvida, de acordo com ele, muitos jogadores aprendem a esperar exatamente isso. Ele explicou: "Desde as categorias juvenis, os jogadores são ensinados a chegar ao campo cedo, treinar tacadas diariamente e se preparar para um jogo horas antes de seu início." Mas a temporada de beisebol é longa. Com 162 jogos, os times podem enfrentar períodos em que jogam quase todo dia durante um mês e meio. No outono, quando chegam as finais, muitos jogadores estão esgotados.

No entanto, Maddon vê vantagem na arte de não fazer nada. Ele implementou essa ideia mudando a rotina de seus jogadores na "Semana da Legião Americana", que acontece nos dias quentes de agosto, quando o desempenho dos jogadores costuma cair. Em vez de acumular horas de treino pré-jogo, ele diz a seus jogadores para só chegarem na hora da partida. Incentiva-os a dormir até tarde, a tirar cochilos e chegar descansados, do mesmo jeito que faziam quando eram adolescentes, como amadores.

Não é que Maddon não esteja interessado em extrair o desempenho máximo de seus jogadores. É claro que ele quer um time de atletas de elite praticando o melhor beisebol da carreira. Só que ele acredita que períodos regulares "sem fazer nada" são a melhor maneira de conseguir isso. Ele disse: "Quando se descansa o bastante, a cabeça se mantém mais fresca. E, com a cabeça mais fresca, eles vão jogar melhor."

A abordagem de Maddon teve um impacto transformador não só nos Angels como nos outros times que treinou na última década. Depois que lançou a Semana da Legião Americana em Tampa Bay, em um ano o Devil Rays conseguiu chegar à World Series. Quando a levou para Chicago, o Cubs foi a equipe mais vitoriosa da liga nos quatro anos seguintes, inclusive vencendo a World Series de 2016. Incrivelmente, num período de cinco anos, o Cubs de Maddon venceu 21 de 24 jogos durante a Semana da Legião Americana.[47]

Pesquisas recentes sobre fisiologia corroboram a solução contraintuitiva de Maddon. Estudos mostram que, para atingir o máximo desempenho físico e mental, é necessária uma cadência de gasto e renovação de energia, e isso não serve só para atletas. Na verdade, um estudo específico[48] constatou que os atletas, músicos, jogadores de xadrez e escritores de melhor desempenho aprimoravam suas habilidades da mesma maneira: praticando pela manhã, em três sessões de 60 a 90 minutos, com intervalos entre elas. Por outro lado, os que faziam intervalos em menos quantidade ou mais curtos não tinham um desempenho tão bom.

Relaxar é uma responsabilidade.

"Para maximizar os ganhos da prática a longo prazo, os indivíduos devem evitar a exaustão e limitar a prática a um volume do qual possam se recuperar por completo diária ou semanalmente", concluiu K. Anders Ericsson, o principal autor do estudo.

Muita gente luta com o dilema entre não fazer o suficiente e fazer demais. Você já se forçou tanto além do ponto de exaustão em determinado dia que, no dia seguinte, acordou totalmente esgotado e precisou do dia inteiro para descansar? Para interromper logo esse ciclo vicioso, experimente esta regra simples: não faça hoje mais do que conseguiria se recuperar completamente hoje. Esta semana, não faça mais do que conseguiria se recuperar completamente esta semana.

Podemos não ver os sinais de que já chegamos ao fim de um ciclo de energia. Ignorar a perda de foco, a baixa energia, a inquietação. Forçar a barra para continuar. Tentar compensar artificialmente com cafeína ou açúcar para superar a queda de energia. Mas, no final, a fadiga nos derruba, tornando o trabalho essencial muito mais difícil do que precisaria ser.

O jeito mais fácil é recarregar continuamente nossa energia física e mental realizando pausas curtas. Planeje esses intervalos ao longo do dia. Dessa forma, seremos como aqueles indivíduos de alto desempenho que tiram vantagem do ritmo natural do corpo.

Para isso, procure fazer o seguinte:

1. Dedique as manhãs ao trabalho essencial.
2. Decomponha esse trabalho em três sessões de, no máximo, 90 minutos cada.
3. Faça um breve intervalo (10 a 15 minutos) entre as sessões para descansar e se recuperar.

O poder da pausa de um minuto

Katrín Davíðsdóttir[49] é natural de Reykjavik, na Islândia. Ginasta que virou competidora de crossfit, sua meta era ser a mulher em melhor forma física do mundo e vencer o campeonato mundial da modalidade.

Em 2014, quando estava a centímetros de vencer o campeonato, subindo numa corda, ela empacou. Todos os músculos dos braços estavam esgotados. Mais um impulso para o alto e chegaria lá. Mas ela perdeu a força nas mãos e caiu no chão.

Permitiram que tentasse outra vez. Porém, nesse momento, ela estava destruída, mental e emocionalmente. Tentou de novo, mas não conseguiu. Desistiu.

No ano seguinte, Katrín decidiu contratar Ben Bergeron como treinador.

Quando conversei com ele em meu podcast, perguntei-lhe sobre a competição de 2014. Ele me disse que, se logo depois de cair, ela tivesse tirado um minuto que fosse para repousar fisicamente e se renovar mentalmente antes de tentar outra vez, teria completado a subida na corda e chegado à final. Pense nisto: tirar um único minuto para alcançar o estado certo, o Estado Sem Esforço, para aproveitar a espantosa capacidade do corpo de se recuperar rapidamente teria feito toda a diferença para ela naquele dia.

Assim, Bergeron mudou logo a abordagem dela. Toda a vida de Katrín passou a girar em torno de cinco coisas: treino, recuperação, nutrição, sono e mentalidade. E os resultados foram extraordinários.

Naquele ano, com Bergeron como treinador, Katrín, além de se classificar para o campeonato, tornou-se a campeã de 2015. Foi coroada a Mulher em Melhor Forma Física da Terra.

No ano seguinte, repetiu o feito. Na verdade, nos últimos cinco anos ela ficou entre as cinco melhores em todas as edições.

Quando temos dificuldades, em vez de redobrar o esforço, deveríamos considerar interromper a ação, mesmo que por um minuto. Não devemos lutar contra nossos ritmos naturais. Podemos fluir com eles. Podemos usá-los a nosso favor. Podemos alternar entre períodos de esforço intenso e períodos de renovação.

A falta de sono está nos matando

Você sente que está dormindo bem menos do que antes? Coletivamente, todos estamos. Pesquisas mostram que hoje dormimos menos – quase duas horas menos, em média – do que 50 anos atrás.[50] Isso não é irrelevante. Quem dorme menos de sete horas por noite tem uma probabilidade maior de sofrer de doença cardiovascular, infarto, derrame, asma, artrite, depressão e diabetes e é oito vezes mais propenso ao sobrepeso.

A privação de sono é insidiosa. Num estudo, os participantes que dormiam menos de seis horas por noite apresentaram declínio da habilidade motora e cognitiva e cochilaram com mais frequência.[51] Porém, mais preocupante foi a descoberta de que não somos bons em notar o impacto cumulativo da privação de sono sobre o corpo e a mente.

Tendemos a pensar que, depois de algumas noites seguidas de sono insuficiente, podemos simplesmente dar um jeito de compensar a perda; dizemos a nós mesmos que só precisamos de uma noite bem dormida para "recuperar o sono". Mas, como esse estudo revelou, na verdade acumulamos uma "dívida de sono" a cada noite em que não dormimos as sete ou oito horas ideais. No décimo dia, os participantes tinham acumulado uma dívida tão grande que sofriam os mesmos efeitos dos que passavam uma noite inteira em claro. Embora afirmassem só se sentirem "um pouquinho sonolentos", seu desempenho indicava outra coisa. Como explica o autor do estudo, "a rotina de dormir menos de seis horas por noite resulta em déficits de desempenho cognitivo, mesmo que tenhamos a impressão de que estamos adaptados a isso".[52]

Dormir mais talvez seja o maior presente que podemos dar ao nosso corpo, à nossa mente e até ao nosso desempenho no trabalho.

Profundo e ininterrupto

Sean Wise[53] é professor de empreendedorismo da Universidade Ryerson, em Toronto, no Canadá. Em suas duas décadas no setor de capital de risco, onde se especializou em apoiar empreendimentos de crescimento rápido no estágio de semente, ele trabalhou com muitos fundadores extremamente motivados que operavam em ambientes de alto risco e elevada pressão. Em outras palavras, ele conhece muita gente que não dorme o suficiente.

A mitologia do Vale do Silício nos leva a crer que os fundadores das empresas que mais revolucionaram e mudaram o mundo não têm tempo para algo tão trivial quanto o sono. Afinal de contas, a história da origem das empresas iniciantes de maior sucesso tende a envolver fundadores movidos a cafeína, programando durante dias e noites num transe sem parar até finalmente saírem, pálidos e de olhos fundos, com sua ideia de 1 bilhão de dólares. As observações de Wise divergem substancialmente dessa narrativa:

"Vi em primeira mão que a má qualidade e/ou uma quantidade insuficiente de sono prejudica a mentalidade dos fundadores", ele diz, "tornando mais difícil trabalhar com eles e deixando-os menos resilientes, o que, por sua vez, reduz a probabilidade de sucesso da nova empresa." Isso não surpreende quando se levam em conta as pesquisas que mostram que problemas de sono podem reduzir a atenção, a criatividade e a competência social, todas qualidades fundamentais para empreendedores.[54]

Por ter testemunhado como dormir bem contribui para um raciocínio mais inovador, Wise decidiu fazer experimentos consigo mesmo.[55] Ele queria ver se conseguia melhorar não só a quantidade de sono, mas também a qualidade. Especificamente, queria aumentar tanto a proporção de "sono profundo" em relação ao mais leve quanto o tempo de sono ininterrupto.

Pesquisas mostram que as metas de Wise foram bem escolhidas. O sono profundo é fundamental em muitos aspectos da saúde; mesmo quando conseguimos dormir a noite toda, se esse sono não for profundo, sofreremos privação de sono. Ao contrário do sono com movimentos rápidos dos olhos (REM, na sigla em inglês), no estágio de sono profundo as ondas do corpo e do cérebro ficam mais lentas. É nesse estágio que as informações são armazenadas na memória de longo prazo, o aprendizado e as emoções são processados, o sistema imunológico é energizado e o corpo se recupera. Adultos saudáveis passam, em média, 13% a 23% da noite em sono profundo.[56] Assim, se você dormir sete horas, isso significa de 50 a 100 minutos em estado profundo. Em outras palavras, cada minuto é precioso.

Já a qualidade do sono tem a ver com quanto sono ininterrupto você consegue no total. É no sono ininterrupto que as ondas cerebrais e a frequência cardíaca chegam a um ponto que permite a restauração dos recursos fisiológicos e psicológicos.[57]

É por isso que raramente nos sentimos descansados quando despertamos várias vezes à noite.

Para tentar maximizar tanto o sono profundo quanto a qualidade do sono, Wise tomou algumas providências simples. Passou a se deitar à mesma hora toda noite, a desligar os aparelhos digitais uma hora antes de se deitar e a tomar um banho quente antes de ir para a cama. Então monitorou o sono com seu *smartwatch* durante um mês. Registrou a frequência cardíaca, o tempo de cama, o tempo dormindo, a qualidade do sono e o percentual de sono profundo.

Por que o banho quente? A ciência recente do sono constatou que os participantes que, antes de dormir, usaram o aquecimento passivo do corpo com base em água – também conhecido como banho – dormiram mais cedo, melhor e por mais tempo.[58] Isso parece não fazer sentido, já que nossos ciclos de sono estão associados a uma queda da temperatura corporal interna. Mas, de acordo com essa pesquisa, o segredo está na hora do banho: 90 minutos antes de se deitar. O autor principal explica que a água quente dispara o mecanismo de resfriamento do organismo, enviando o sangue mais quente do interior para a superfície e liberando calor pelos pés e mãos. Essa ação eficiente de remoção do calor corporal e declínio da temperatura interna apressa o resfriamento natural que facilita o adormecimento.

Quatro semanas depois, o sono profundo de Wise saltou para quase duas horas por noite, um aumento de 800%. O sono ininterrupto cresceu 20%. Ele se sentiu mais inteligente, mais criativo e mais presente. Passou a acordar se sentindo renovado e disposto a enfrentar mais um dia.

Como ele ressalta: "Passamos um terço da vida dormindo. Talvez esteja na hora de avaliar se não podemos fazer isso de um jeito melhor."

Tire um cochilo sem esforço

Admito que nem sempre consigo obter a quantidade ideal de sono profundo ou de sono de qualidade. Mas sou o rei dos cochilos. Sorte a minha, porque pesquisas mostram que os cochilos podem compensar a dívida de sono. Na verdade, os cochilos aumentam o desempenho em tempo de reação, raciocínio lógico e reconhecimento de símbolos, mesmo em pessoas bem descansadas.[59] Podem melhorar o humor e nos deixar menos impulsivos e frustrados.[60]

Num estudo, o cochilo foi tão benéfico para alguns tipos de memória quanto uma noite inteira de sono.[61] "O espantoso é que, num cochilo de 90 minutos, podemos obter os mesmos benefícios de aprendizado de um período de oito horas de sono", diz o pesquisador.

A ideia de tirar cochilos regulares é atraente para a maioria das pessoas com quem conversei, embora achem quase impossível colocá-la em prática. O que torna o cochilo tão difícil?

Somos condicionados a nos sentir culpados quando cochilamos em vez de "fazer algo útil". É a combinação perfeita entre o medo de estar perdendo alguma coisa, a falsa economia de se forçar a continuar e o estigma do cochilo como coisa de preguiçoso ou de criança.

Muito se escreveu sobre o efeito corrosivo da atual cultura da correria, em que usamos comentários como "Não preciso dormir muito" ou "Quem tem tempo para dormir?!" com certo orgulho. Mas, na verdade, a "vergonha de dormir" é uma tradição atemporal. O historiador e biógrafo presidencial Ron Chernow conta que quando Ulysses S. Grant, herói da Guerra de Secessão americana, tentou ir dormir às onze da noite antes de uma batalha importante, um de seus comandantes lhe recordou incisivamente que Napoleão só se permitia quatro horas de sono por noite e mesmo assim conservava o vigor das faculdades mentais. Grant, que dormia regularmente sete horas, duvidou e rebateu: "Não tenho dúvida de que ele compensava o pouco sono noturno com cochilos durante o dia."[62]

Já está na hora de começarmos a pensar de forma diferente sobre os cochilos. A receita para tirar um cochilo sem esforço é a seguinte:

1. Observe quando a fadiga chegou ao ponto em que você sente que se concentrar dá muito trabalho.
2. Bloqueie luzes e ruídos com uma máscara para dormir e um fone com cancelamento de ruído ou um protetor de ouvido.
3. Ajuste o despertador para o horário desejado.
4. Ao tentar adormecer, expulse os pensamentos sobre o que "poderia estar fazendo". Todos os seus afazeres ainda estarão lá quando você acordar. Só que, dormindo bem, você conseguirá concluí-los mais depressa e com mais facilidade.

Nas primeiras vezes, talvez seja preciso se esforçar um pouco. Pode ser que você não durma de verdade. Mas continue tentando. Depois de descobrir a hora do dia em que provavelmente precisará de um cochilo, reserve esse tempo na agenda. Com alguma prática, os cochilos se tornarão sem esforço – e sem culpa.

Cochile como Dalí

A persistência da memória, o quadro mais famoso de Salvador Dalí,[63] parece retratar ao fundo uma paisagem rochosa da Catalunha, onde o pintor nasceu. Mas, como boa parte da arte surrealista, a peça tem uma característica onírica e bizarra. Os relógios perderam a integridade e derreteram ao sol como queijo camembert. Uma mosca solitária produz uma sombra com forma humana. Um formigueiro se reúne. Pintado em 1931, no ápice do movimento surrealista, a obra catapultou Dalí para a projeção global.

As influências de Dalí eram a arte do período impressionista e o Renascimento.[64] Sua educação formal foi em belas-artes, em Madri. Com esse histórico, seria de esperar que Dalí pintasse representações exatas da vida. Como, então, ele se libertou dessas técnicas clássicas para criar justaposições evocativas de sonho e realidade?

Ele tirava cochilos – pelo menos, a versão surrealista do cochilo.[65] Dalí se sentava com os punhos para fora dos braços da cadeira. Numa das mãos, segurava uma colher. No chão, diretamente sob a colher, ele punha um prato de metal emborcado. Dalí fechava os olhos e relaxava. No momento em que começava a dormir, os dedos soltavam a colher. Blem! Os olhos de Dalí se abriam de repente e ele se enchia de nova inspiração para a próxima obra. Dalí explicou que, naquele "momento fugidio em que mal se perdeu a consciência e no qual não se pode ter certeza de ter realmente dormido", ele ficava "em equilíbrio no arame tenso e invisível que separa o sono da vigília".[66]

Os sonhos são um terreno fértil em soluções criativas para o que nos sobrecarrega todo dia. Mas, em geral, acordamos apenas com fiapos de ideias, que logo somem se não as registramos. Quando estiver buscando inspiração, a coisa mais fácil a fazer é descansar os olhos. Sente-se em sua cadeira favorita. Ajuste o despertador, deixe um lápis à mão e escreva o que lhe vier à mente quando seus olhos se abrirem.

Quando paramos de lutar contra o ritmo natural do corpo, quando deixamos os outros nos ultrapassarem na corrida de quem consegue mais com menos repouso – uma corrida impossível de vencer –, nossa vida ganha consistência, clareza e intenção. Retornamos ao nosso Estado Sem Esforço.

CAPÍTULO 5

OBSERVAR
Como enxergar com clareza

Sherlock Holmes, o detetive criado por Arthur Conan Doyle, está entre os personagens literários mais conhecidos e mais retratados da história no cinema e na televisão.[67] Surpreendentemente, ele só aparece em quatro dos 45 romances de Doyle. Parte do que torna o personagem tão fascinante e inesquecível é sua capacidade sem igual de observação. Seu talento mais aguçado é notar os minúsculos detalhes que passam despercebidos. Isso é ilustrado e discutido no conto de Doyle "Um escândalo na Boêmia", de 1891.[68]

A história começa com uma visita do Dr. John H. Watson ao amigo Holmes em seu famoso endereço na Baker Street, 221B, em Londres. Holmes surpreende Watson ao perguntar: "Como é que sei que você se molhou todo recentemente e que tem uma criada bastante desajeitada e descuidada?" Perplexo, Watson confirma que fez um passeio no campo naquela semana e que realmente voltou de lá cheio de lama. Mas não entende como Holmes poderia saber disso. Holmes responde que é "muito simples": no lado de dentro do sapato esquerdo de Watson, exatamente onde se projetaria a luz da lareira, o couro estava marcado por seis cortes quase paralelos. Holmes raciocina que as marcas foram causadas por uma criada descuidada ao raspar a lama da sola do sapato à luz do fogo.

Watson pergunta a Holmes por que sua explicação parece tão óbvia e ainda assim tão fora de alcance até ser revelada. "Acredito que meus olhos sejam tão bons quanto os seus", Watson diz. Holmes concorda, mas fala que Watson apenas vê, sem observar. Então pergunta a ele quantos são os degraus que levam do hall no andar térreo até onde estão. Watson subiu aquela escada centenas de vezes, mas não sabe responder. "Você não observou", Holmes declara triunfante. "Ainda que tenha visto."

Enquanto reflete sobre essa conversa, Watson relata: "A conversa de fato me chocou. Febrilmente, tentei me lembrar de quantos degraus havia em nossa própria casa, quantos levavam até a nossa porta da frente (não consegui). E, por um bom tempo depois disso, tentei contar escadas e degraus sempre que podia, guardando o número correto na memória caso alguém me perguntasse. Eu deixaria Holmes orgulhoso (é claro que logo esquecia cada número que tentara com tanta diligência recordar; só mais tarde percebi que, ao me concentrar tão intensamente na memorização, deixara por completo de entender e, na verdade, estava sendo menos observador e não mais)."

Muitos se identificarão com a angústia que Watson relata nessa história. Afinal, quem nunca passou pela experiência de alguém nos indicar algo dolorosamente óbvio, onipresente ou fácil de observar em nosso ambiente mas que nunca notamos? Watson considerava próxima da magia a capacidade aparentemente sobre-humana de Holmes de deduzir uma série de fatos precisos a partir de pistas que pareciam insignificantes. Mas é claro que não é magia. É a diferença entre ver e observar, entre vigiar e notar, entre estar e estar presente.

Com que frequência nos dedicamos ao ato de observar, de verdadeiramente *notar*? Conheço muita gente que tem problemas com isso. Parece difícil estar presente no momento, concentrar-se intensamente numa só pessoa, conversa ou experiência quando estamos o tempo todo equilibrando tantas outras demandas à nossa atenção. Mas o que faz parecer difícil não é a tarefa em si.

Escutar não é difícil; difícil é evitar que nossa mente fique vagando.

Estar presente no momento não é difícil; difícil é não pensar no passado e no futuro o tempo inteiro.

Notar algo não é difícil; difícil é ignorar todo o ruído do ambiente.

Pelo menos, a princípio.

Mas, assim que removemos parte dos pensamentos, preocupações e distrações externas que embaçam nossa visão, percebemos que a "magia" de Holmes fica um pouco mais ao nosso alcance.

Essas distrações são como a catarata nos olhos. Sem tratamento, a doença progride e nossa visão piora.[69] Ler fica mais complicado. É preciso se esforçar para enxergar a pessoa com quem você está falando. Não é seguro dirigir. Quanto menos luz chega à retina, mais difíceis ficam as coisas. Em última instância, a catarata pode levar à cegueira total.

As distrações que nos impedem de estar presentes no momento podem ser como uma catarata da mente. Ela faz com que seja mais difícil notar o que importa. E, quanto mais tempo fica sem tratamento, mais debilitante se torna. Cada vez entra menos luz. Vamos deixando de perceber mais e mais coisas. Por fim, ficamos cegos para o que é realmente mais importante.

Ainda bem que a catarata pode ser removida. Quando removemos o cristalino danificado, a luz volta a atingir a retina e podemos enxergar com clareza e facilidade aquilo que antes deixávamos passar.

Como enxergar com clareza

Steph Curry[70] sempre sonhou jogar basquete pela Virginia Tech, a universidade pela qual o pai se formou. Mas a instituição não se dispôs a lhe oferecer uma bolsa, em parte por causa do seu porte físico. Com "apenas" 1,90 metro e 84 quilos na época, Curry estava em desvantagem imediata num esporte em que os jogadores ficavam cada vez maiores. Em 2009, ano em que Curry foi contratado pelos Golden State Warriors, a altura média de um jogador da NBA era de pouco menos de 2 metros. LeBron James, astro do Los Angeles Lakers, tinha impressionantes 2,06 metros e mais de 135 quilos; Shaquille O'Neal destruía tabelas inteiras.

Em geral, os jogadores "pequenos" da NBA focam seu treino em agilidade e rapidez. Mas Curry fez diferente: optou por se concentrar em treinar o cérebro.

Desde sua segunda temporada, em 2010, o preparador físico Brandon Payne fazia "desafios neurológicos" com Curry para aumentar sua capacidade perceptiva.[71] Um exemplo de sequência de desafios que fica progressivamente mais difícil: Curry joga uma bola de tênis para cima e a pega com uma das mãos enquanto quica a de basquete com a outra; depois, passa a quicar a bola de tênis no meio enquanto quica a de basquete de um lado para outro; então joga a bola de tênis na parede enquanto quica a de basquete de um lado para outro; em seguida, ainda jogando a bola de tênis na parede, passa a de basquete entre as pernas; e assim vai até que, finalmente, faz malabarismo com duas bolas de tênis enquanto continua quicando a bola de basquete com a outra mão. Essa sequência estonteante foi projetada para melhorar a atenção de Curry, construindo o que Payne chama de "eficiência neurocognitiva". A cada exercício da sequência, ele processa cada vez mais informações enquanto se mantém concentrado na tarefa.

Num artigo intitulado "Steph Curry vê o mundo de um jeito diferente do seu, literalmente", o jornalista Drake Baer escreve:

> Só de olhar, ninguém adivinha que Curry é o jogador mais dominante da liga. Tem 1,90 metro e 86 quilos. Não intimida como LeBron nem voa como Michael. Suas vantagens são mais sutis. A rapidez extraordinária e a habilidade absurda nos arremessos são as que todo mundo já conhece. Mas os indícios também mostram que Curry é um caso discrepante – não erraria quem dissesse genial – em sua habilidade de processar informações sensoriais, mesmo nas situações mais estressantes, complexas e velozes. Em termos simplistas, ele enxerga mais o jogo, o que lhe permite tirar proveito do posicionamento dos adversários para criar lançamentos, encontrar caminhos para passes e roubar a bola.[72]

Steve Kerr, técnico do Warriors, diz que, em relação à coordenação visomotora (olho-mão), Curry é o melhor que já viu. Hoje, o jogador é considerado por muitos o melhor arremessador da história da NBA.

Descobertas científicas recentes ajudam a explicar por quê. Um estudo constatou que, se treinarmos os músculos da atenção, poderemos melhorar o processamento de informações complexas que se movem em alta velocidade. Atletas profissionais da principal liga de futebol da Inglaterra, da Liga Nacional de Hóquei dos Estados Unidos e do Canadá e da Liga de Rúgbi francesa, participaram, ao lado de atletas de elite não profissionais e não atletas, de uma simulação virtual com oito bolas que se cruzavam e ricocheteavam umas nas outras e nas paredes virtuais. Eles deveriam seguir a trajetória de quatro delas e, quando as bolas parassem, os participantes teriam que identificar aquelas que tinham seguido. Se acertassem, a simulação ficaria mais veloz na rodada seguinte, exatamente como no treino de Payne com Curry. O resultado revelou, talvez sem surpresa, que os atletas profissionais eram melhores do que os outros grupos no processamento de informações complexas e velozes. No entanto, ainda mais útil para quem dificilmente entrará na NBA foi o fato de que *todos* os grupos melhoraram bem depressa com a prática.[73] *Todo mundo* ficou melhor em se concentrar no que era importante e em ignorar o que era irrelevante.

Estar no Estado Sem Esforço é estar consciente, alerta e presente, mesmo diante de informações em rápida evolução e do massacre interminável das distrações. E isso não é pouco, porque, nesse estado de atenção acentuada, nós enxergamos de um jeito diferente. Somos capazes de nos concentrar no que importa. Notamos coisas que sempre estiveram bem debaixo do nosso nariz mas que não percebíamos.

O jogo de tênis dos relacionamentos

Com muita frequência, estamos fisicamente com as pessoas, mas não mentalmente presente com elas. Temos que nos esforçar para notá-las de verdade, para enxergá-las com clareza.

John Gottman passou 40 anos pesquisando a ciência dos relacionamentos no laboratório oficialmente chamado de Gottman Institute e mais conhecido como Love Lab. Ele e a esposa, Julie Schwartz Gottman, psicóloga conceituada, escreveram vários livros e são especialistas de renome mundial no tema do casamento e dos relacionamentos. Juntos, eles podem ter coletado mais dados sobre o funcionamento intricado dos relacionamentos e a dinâmica que prevê o divórcio ou a estabilidade conjugal que qualquer outro estudioso do assunto.[74]

De acordo com os Gottman, todos fazemos tentativas, maiores ou menores, de obter afeto, afirmação e atenção nos relacionamentos.[75] Eles as chamam de "lances" ou "ofertas" por conexão. Há três maneiras distintas de um parceiro reagir a um lance por atenção. Podemos compará-las à recepção do saque em um jogo de tênis.

O primeiro tipo de reação é o que eles chamam de "voltar-se para". É quando você chega em casa, dá um beijinho no rosto da pessoa amada e diz algo como: "Hoje o dia está lindo, não acha?" Ao que a pessoa amada responde: "Concordo. Lindo mesmo! Vamos abrir as janelas." Aqui, o parceiro é como a pessoa no outro lado da quadra que recebe seu saque e rebate a bola diretamente para onde você está. Não poderia ser mais fácil rebater de volta, e assim o jogo continua.

O segundo tipo de reação é "voltar-se contra". É quando o parceiro responde ao comentário sobre o tempo dizendo algo como: "Acha mesmo? Está quente demais para mim hoje. Não gosto nem um pouco dessa umidade!" Nesse caso, a pessoa rebateu a bola, mas para o lado oposto da quadra, e você tem que correr para alcançá-la. O jogo pode continuar, porém é mais extenuante.

O terceiro tipo de reação é "dar as costas" ou "afastar-se". É quando seu parceiro não reage ao comentário sobre o tempo e rebate com algo inteiramente diferente, como: "Você já levou o carro para trocar o óleo?" A bola acabou de ser lançada diretamente na rede. Ponto encerrado. Será preciso juntar energia (mental e física) para retomar o jogo.

De acordo com a pesquisa de Gottman, em geral as duas primeiras reações – mesmo a discordante – são saudáveis para o relacionamento. A que causa mais danos é a terceira. Ela assinala que essas duas pessoas não se enxergam. Não estão no mesmo jogo, talvez nem no mesmo esporte. É como se ambos olhassem a mesma parede e um dissesse que é azul enquanto o outro insiste que é vermelha.

Não existe relacionamento sem esforço, mas tem um jeito mais fácil de mantê-lo sólido. Não precisamos concordar em tudo com a outra pessoa. Mas temos que estar presentes com ela, realmente notá-la, dar-lhe toda a nossa atenção – talvez nem sempre, mas com a máxima frequência possível.

O curioso poder da presença

Ronald Epstein[76] experimentou um pico de ansiedade quando um médico mais velho entrou e examinou suas orelhas, garganta, pescoço, peito e abdome, numa consulta bastante comum em todos os aspectos, com a exceção de um. O diagnóstico, o prognóstico e o tratamento receitado não surpreenderam e foram recebidos em menos tempo do que Epstein levara para tomar o café da manhã naquele dia. Mas eis a coisa extraordinária: o médico se sentou à mesa do consultório e respondeu às perguntas do rapaz nervoso de 17 anos como se naquele dia não houvesse outros pacientes em sua agenda.

Quando foi dormir, à noite, Epstein já se sentia alterado pela experiência, embora não entendesse direito como.

Aquilo ficou em sua memória durante as duas semanas de recuperação do que não passava de uma gripe comum. Permaneceu com ele quando se reuniu com orientadores vocacionais e respondeu sobre o que planejava fazer depois do ensino médio e enquanto redigia os textos para os pedidos de admissão nas faculdades. E ainda se manteve com ele ao atravessar o campus com uma mochila tão pesada que dobrava seu corpo mas não seu espírito. Ele estava concentrado demais no que, tinha certeza, se tornara sua vocação: aprender todo o possível para ajudar pessoas doentes a serem curadas.

Incrivelmente, esse breve encontro com um médico anos antes – a bondade palpável do profissional, sua calma tranquilizadora, sua presença total e completa – ficara com Epstein durante todos aqueles anos.

Um momento passageiro pode deixar vestígios tão duradouros a ponto de moldarem uma trajetória de vida? Todo o futuro de Epstein foi determinado por aquele único médico que se sentou e o escutou, dando-lhe todo o poder de sua atenção?

Quando estamos totalmente presentes com as pessoas, causamos impacto. E não só naquele momento. A experiência de se sentir a pessoa mais importante do mundo, mesmo que por um brevíssimo instante, pode permanecer conosco por um tempo desproporcional depois que o momento passar. Há um poder curiosamente mágico na presença.

Em muitas ocasiões, em auditórios e salões lotados, pedi ao público que pensasse em alguém que tivesse se mostrado completamente presente na vida deles e que depois descrevesse como foi isso usando uma só palavra. Aprendi a não me surpreender com o volume, a força e a variedade dos adjetivos usados.

Entre as palavras, estavam: *generoso, valorizado, compreensivo, renovador, autêntico, valioso, reconfortante, importante, especial, esplêndido, simbiótico, focalizado, puro, íntimo, revigorante, empoderador, tranquilo, mágico, caloroso, impactante, envolvente, apoiador, acolhedor* e *inestimável.*

O que podemos extrair dessas histórias de uma só palavra? Não são descrições tímidas. Alguém poderia supor que essas pessoas descreviam alguém que moveu montanhas por elas. Mas não. Descreviam apenas alguém que esteve totalmente presente com elas.

Quando estamos totalmente presentes com outra pessoa, nós a enxergamos com mais clareza e a ajudamos a se enxergar com mais clareza também.

O Comitê de Clareza

Todos temos na vida pessoas que nos procuram porque estão com dificuldade para ver com clareza um problema ou uma decisão. Mas é comum sem querer dificultarmos a situação para elas nos precipitando em um julgamento. Ficamos ansiosos em dizer "Ah, você deveria fazer X", "Não sei por que não tentou Y para começar" ou "Se fosse você, eu faria Z". Esses julgamentos rápidos, ainda que bem-intencionados, impedem que os outros obtenham clareza por duas razões.

Primeiro, quando temem ser julgadas, as pessoas abafam sua voz interior. Só conseguem se concentrar no que acham que queremos ouvir, em vez de falar o que realmente veem ou sentem. Em segundo lugar, no momento em que nossos julgamentos e opiniões são expressados, eles competem pelo espaço mental limitado de que os outros precisam para tirar suas próprias conclusões.

Compare isso com a prática dos protestantes quacres chamada Comitê de Clareza.[77]

Em geral, quando um membro da comunidade (a "pessoa-foco") enfrenta um dilema importante, ele pede que algumas pessoas em quem confia (os "Anciãos") se reúnam para formar um comitê. O propósito do comitê não é lhe dizer o que fazer. O propósito é ajudar a pessoa a descobrir por ela mesma. Para isso, o comitê deve remover da equação qualquer julgamento.

Quando o comitê se reúne, a pessoa-foco começa explicando qual é o seu dilema e por que é importante. O comitê escuta em silêncio.

Depois de contextualizados, os Anciãos têm algumas opções: eles podem fazer "perguntas francas" para esclarecer determinadas questões e podem reproduzir ou repetir o que ouviram. Opiniões, conselhos e julgamentos não são permitidos.

Segundo Parker J. Palmer, especialista no processo do Comitê de Clareza, "cada um de nós tem um mestre interior, uma voz da verdade, que oferece a orientação e o poder de que precisamos para resolver nossos problemas".[78] A intenção do exercício é ajudar a pessoa a amplificar essa voz interior e a obter clareza para saber como avançar.

Podemos ajudar as pessoas com quem nos relacionamos a fazer o mesmo deixando completamente de lado nossas opiniões, conselhos ou julgamentos e pondo a verdade do outro acima da nossa.

O maior presente que podemos oferecer aos outros não é nossa habilidade, dinheiro ou esforço. É simplesmente *nós mesmos*. Nenhum de nós tem uma reserva infinita de concentração e atenção para distribuir, mas, no Estado Sem Esforço, fica muito mais fácil dar o presente do nosso foco intencional às pessoas e às coisas que são realmente importantes para nós.

E como evocar esse estado acentuado de percepção e foco? Recomendo o seguinte treino diário:

1: Prepare seu espaço (dois minutos)
- Procure um lugar tranquilo. Desligue o celular. Avise a todos que você precisará de 10 minutos sem ser incomodado.
- Pare por um momento para limpar sua mesa e pôr as coisas em seus devidos lugares.

2: Repouse o corpo (dois minutos)
- Sente-se confortavelmente, com as costas eretas. Feche os olhos. Alongue os ombros, girando-os para a frente e para trás. Mexa a cabeça de um lado para o outro. Libere a tensão em todas as partes do corpo. Respire.

3: Relaxe a mente (dois minutos)
- É natural que sua mente esteja cheia de pensamentos. Simplesmente os reconheça. Observe-os. Deixe que venham e que se vão.

4: Liberte o coração (dois minutos)
- Se surgirem pensamentos sobre alguém que o magoou, diga "Eu o perdoo" e imagine-se cortando uma corrente que atrelava você a essa pessoa.

5: Inspire gratidão (dois minutos)
- Recorde um momento da vida pelo qual se sente verdadeiramente grato. Vivencie tudo de novo, usando todos os sentidos. Lembre-se de onde estava, como se sentiu e quem estava com você. Realmente inspire a gratidão. Repita esse passo três vezes.

Um resumo sem esforço

Primeira Parte — Estado Sem Esforço

O que é o Estado Sem Esforço?

O Estado Sem Esforço é uma experiência que muitos já tivemos quando estávamos fisicamente descansados, emocionalmente aliviados e mentalmente energizados. Ficamos cem por cento conscientes, alertas, presentes, atentos e focados no que é essencial naquele momento. Somos capazes de nos concentrar com facilidade no que mais importa.

INVERTER

Em vez de perguntar "Por que isso é tão difícil?", inverta o raciocínio: "E se isso pudesse ser fácil?"

Questione a premissa de que o jeito "certo" é sempre o mais difícil.

Torne possível o impossível procurando uma abordagem indireta.

Quando estiver diante de um trabalho que parece esmagador, pergunte: "De que modo estou tornando isso mais difícil do que o necessário?"

DESFRUTAR

Combine as atividades mais essenciais com as mais agradáveis.

Aceite que trabalho e diversão podem coexistir.

Transforme tarefas maçantes em rituais cheios de significado.

Permita que riso e diversão iluminem o seu dia a dia.

LIBERTAR-SE

Abandone os fardos emocionais que não precisa continuar carregando.

Lembre-se: quando se concentra no que lhe falta, você perde o que tem. Quando se concentra no que tem, consegue o que lhe falta.

Use esta fórmula do hábito: "Toda vez que reclamar, mencionarei algo pelo qual sou grato."

Libere o rancor de seus deveres perguntando: "Para que função contratei esse rancor?"

DESCANSAR	Descubra a arte de não fazer nada.
	Não faça hoje mais do que conseguiria se recuperar completamente ainda hoje.
	Decomponha o trabalho essencial em três sessões de, no máximo, 90 minutos cada.
	Tire um cochilo sem esforço.
OBSERVAR	Atinja um estado de consciência aguçada utilizando o poder da presença.
	Treine o cérebro para se concentrar no que é importante e ignorar o que é irrelevante.
	Para enxergar os outros com mais clareza, deixe de lado suas opiniões, conselhos e julgamentos e ponha a verdade deles acima da sua.
	Arrume a bagunça do ambiente físico antes de arrumar a bagunça da mente.

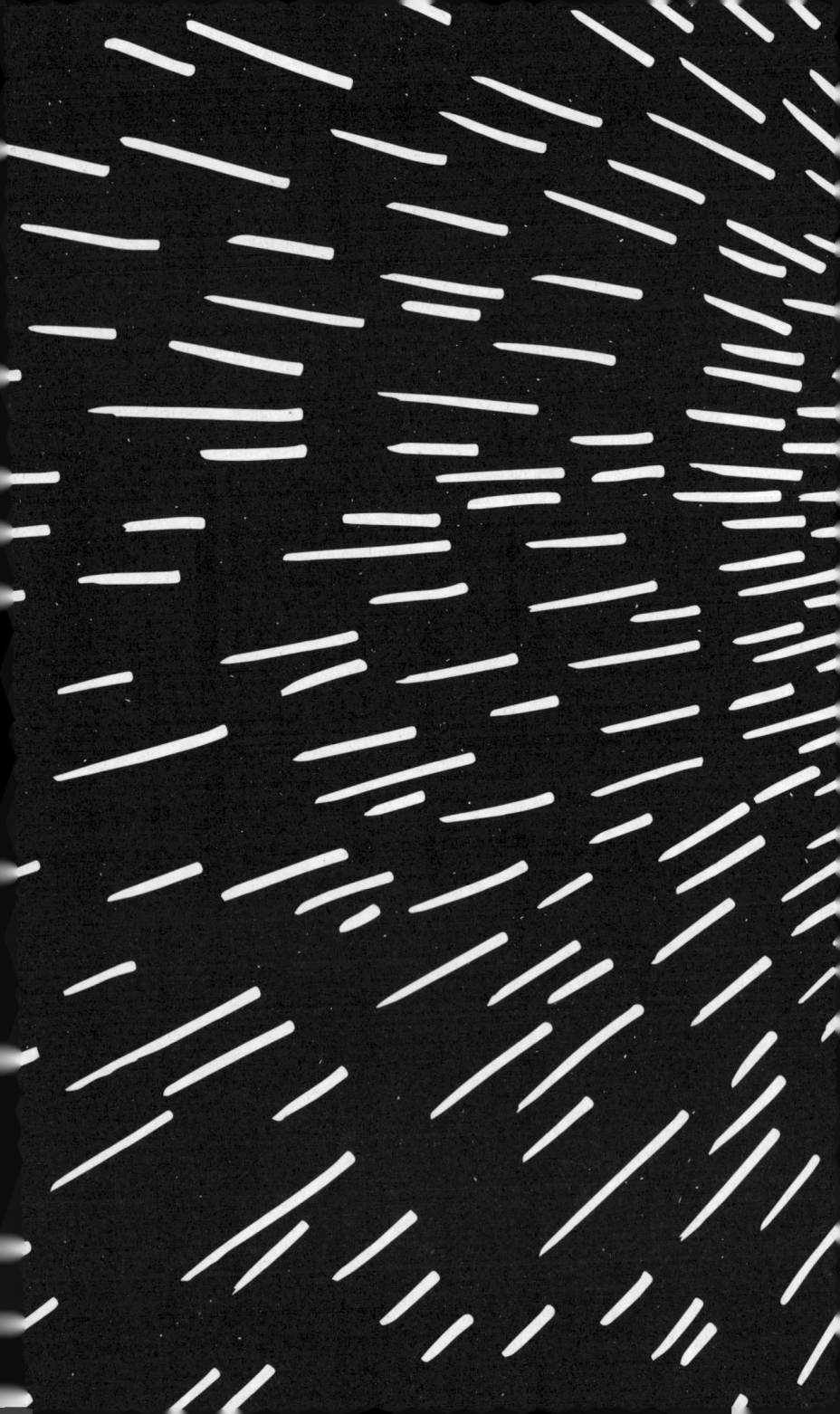

ação sem esforço

SEGUNDA PARTE

Larry Silverberg é um "dinamicista", isto é, um especialista no movimento das coisas físicas. Por exemplo, ele estudou durante 20 anos o movimento de milhões de arremessos de lance livre no basquete.[79]

Uma coisa que Larry descobriu nesse período foi que o fator mais importante para o sucesso no lance livre é a velocidade com que se solta a bola. Atingir a condição cinestésica ideal exige treino e memória muscular. O objetivo é chegar ao ponto em que os movimentos se tornam fluidos, naturais e instintivos.

É isso que significa *Ação Sem Esforço*.

Quando há excesso de esforço no arremesso de um lance livre, o jogador se contrai e se move depressa demais. É parecido com o que acontece com muita gente perfeccionista que foi condicionada a acreditar que mais esforço leva a um resultado melhor. Quando se empenham muito e não veem o resultado desejado, essas pessoas se empenham ainda mais. Trabalham mais horas. Ficam obcecadas. Aprenderam a ver a falta de progresso como sinal de que é necessário *mais* esforço ainda. Mas o que elas não aprenderam foi que:

Quando passamos de determinado ponto, mais esforço não produz melhor desempenho. Em vez disso, o excesso sabota o resultado.

Os economistas dão a isso o nome de *lei dos rendimentos decrescentes*:[80] além de certo ponto, cada unidade a mais de entrada produz uma taxa decrescente de saída. Por exemplo, se eu escrever durante duas horas, conseguirei produzir duas páginas. Mas, se passar quatro horas escrevendo, produzirei três páginas. A taxa de saída desacelera. Nesse momento, o aumento do esforço deve ser reconsiderado, mas, em vez disso, muitas pessoas dobram o esforço. Veem a queda na produção e, erradamente, acham que a resposta é se esforçar ainda mais. Qual é o efeito disso?

Quando passamos de determinado ponto, mais esforço não produz melhor desempenho. Em vez disso, o excesso sabota o resultado.

Retorno negativo: o ponto em que não obtemos meramente um rendimento menor a cada investimento adicional; na verdade, reduzimos nossa produção global. Por exemplo, na escrita há um momento em que começamos a piorar o manuscrito original se trabalharmos nele mais tempo. O mesmo se pode dizer de compor uma música, traçar uma planta baixa, preparar um argumento jurídico ou escrever um código de programação, entre muitas outras atividades. Você fica fatigado. Sua capacidade de avaliação é prejudicada. Agora, cada bocado a mais de esforço investido é prejudicial. Ir além, nesse momento, é um exemplo de *falsa economia*.

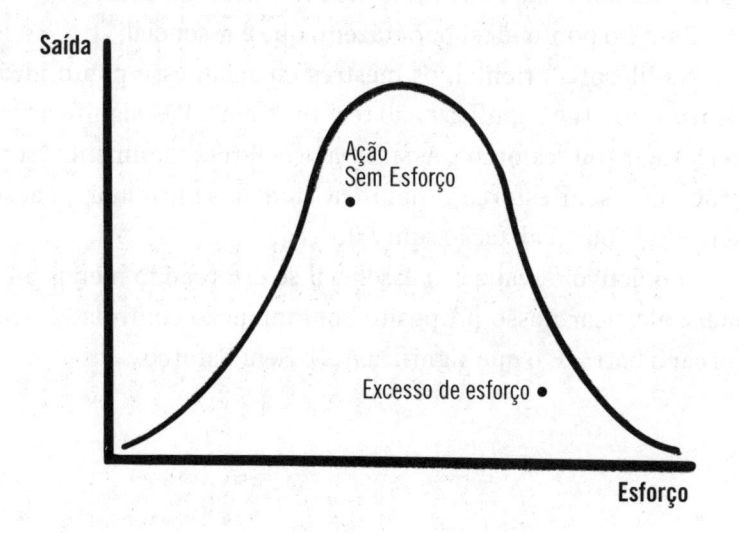

[Gráfico: curva em forma de sino com eixo vertical "Saída" e eixo horizontal "Esforço". No pico da curva: "Ação Sem Esforço". Na descida: "Excesso de esforço".]

E não é só a produção global que sofre – essa também é uma receita para o burnout.

O excesso de esforço ocorre quando forçamos a barra ou tentamos "demais".[81] Talvez você já tenha passado por isso. Esforçar-se demais em um ambiente de socialização impede você de se conectar autenticamente com outra pessoa. Esforçar-se demais por uma promoção pode parecer desespero e, portanto, tornar você menos desejável. Esforçar-se demais para dormir pode tornar quase impossível relaxar. Esforçar-se demais para parecer inteligente raramente impressiona as pessoas que você quer impressionar. Esforçar-se demais para ficar tranquilo, relaxar, sentir-se bem dificulta ficar tranquilo, relaxar-se e se sentir bem. Esse é o problema do excesso de esforço.

O curioso é que esse movimento não condiz com nossa vivência. Já reparou que, quando você faz seu melhor trabalho, a experiência parece sem esforço? Você age quase sem pensar. Faz as coisas acontecerem sem nem *tentar* fazer que aconteçam. Está num estado de fluxo, no pico de desempenho.

Esse é o ponto ideal para fazer o que é essencial.

Na filosofia oriental, os mestres chamam esse ponto ideal de *wu wei*.[82] *Wu* significa "não ter" ou "sem". *Wei* significa "fazer", "agir" ou "esforço". Assim, *wu wei* seria literalmente "sem ação" ou "sem esforço", significa "tentar sem tentar", "ação sem ação" ou "realização sem esforço".

O objetivo é realizar o essencial se esforçando menos, não mais: alcançar nosso propósito com intenção controlada, sem forçar a barra. É o que significa Ação Sem Esforço.

CAPÍTULO 6

DEFINIR
Que aspecto deve ter algo finalizado

Quatrocentos anos atrás, Gustavo II, rei da Suécia, identificou a necessidade vital de modernizar sua armada.[83] Ele queria proteger seu povo das potências navais crescentes que os cercavam. Sua atenção se voltou para a construção de um gigantesco navio de guerra. Ele encarregou o construtor naval Henrik Hybertsson de desenvolver o temível *Vasa*.

Esse projeto tinha a máxima importância para o rei Gustavo, tanto que ele cedeu uma floresta de mil árvores para fornecer madeira para o navio. Também abriu os cofres reais. Garantiu a Hybertsson que ele teria um orçamento quase ilimitado para o projeto.

Infelizmente, o rei não tinha uma visão clara de como seria o produto final. Ou melhor, ele não parava de mudar sua visão de como seria o aspecto do navio finalizado. A princípio, a embarcação teria 33 metros de comprimento, com 32 canhões no convés. Depois, o comprimento foi alterado para 36 metros, embora a madeira já tivesse sido cortada segundo as especificações originais. Mas, assim que a equipe de Henrik fez os ajustes necessários, a meta mudou de novo. Desta vez, o rei decidiu que o navio tinha que medir 41 metros. O número de canhões também mudou. Em vez de 32 numa única fila, ele pediu "36 canhões em duas filas, mais 12 canhões menores, 48 morteiros e mais 10 armas de menor calibre".

Um esforço tremendo foi exercido por cerca de 400 pessoas para que isso acontecesse. Mas, quando se aproximavam do término, o rei mudou de ideia outra vez e pediu 64 canhões grandes. Dizem que a tensão com a notícia teria causado a morte de Henrik, que sofreu um infarto fulminante.

Ainda assim, o interminável projeto seguiu em frente, agora sob o comando de Hein Jacobsson, auxiliar de Henrik. O orçamento continuava a aumentar. O esforço continuava a se expandir e o rei continuava a mudar a meta. Num acréscimo totalmente dispensável num navio de guerra, ele chegou a pedir 700 esculturas ornamentais – que exigiriam de escultores habilidosos dois anos para serem feitas – a serem anexadas às laterais, aos costados e aos painéis de popa do navio.

E foi assim que, em 10 de agosto de 1628, o *Vasa* zarpou do porto de Estocolmo para sua viagem inaugural, ainda inacabado e sem ter sido adequadamente testado para garantir que sobreviveria às condições de alto-mar. Houve uma festa para comemorar a expedição, com fogos de artifício, diplomatas estrangeiros e muita pompa: "Quando o navio zarpou, as portinholas se abriram e os canhões foram empurrados para fora, de modo a disparar uma salva em saudação aos dignitários em terra."

De repente, uma lufada de vento atingiu as velas do navio, fazendo a imensa embarcação se inclinar perigosamente para um dos lados. Quando os canhões tocaram o mar, a água entrou pelas portinholas. Apesar do esforço extenuante da tripulação, a água inundou quase instantaneamente o convés de tiro e o porão, desestabilizando ainda mais o navio. Tragicamente, foram necessários apenas 50 minutos para o *Vasa* afundar por completo, levando consigo 53 tripulantes. Eles morreram a pouco mais de 1 quilômetro do cais.

Assim, o projeto naval mais caro da história da Suécia navegou menos de 2 quilômetros antes de ser sepultado no mar – tudo porque o rei tornara o empreendimento quase impossível de ser concluído em segurança ao redefinir sucessivamente o aspecto que ele teria quando estivesse finalizado.

Para tornar algo difícil e verdadeiramente impossível de concluir, basta adotar a meta mais vaga possível. Isso porque não se pode terminar um projeto sem definir claramente o ponto final. Você pode se dedicar ao máximo trabalhando nele. Pode alterá-lo. Pode abandoná-lo (e provavelmente abandonará). Mas, para finalizar um projeto importante, é fundamental definir que aspecto ele terá quando estiver finalizado.

Essa ideia parece óbvia. Mas, se você pensar na maior parte dos projetos essenciais em que está trabalhando, está claro para você como ficará cada projeto quando for finalizado?

O alto custo dos retoques

Às vezes, projetos importantes ficam incompletos porque não paramos de ajustá-los e fazer pequenos retoques. Por exemplo, certa vez minha editora recebeu de um agente literário uma proposta interessantíssima de um livro. No dia seguinte, recebeu uma versão nova da proposta, com um e-mail dizendo: "Os autores fizeram algumas mudanças." Ela leu a nova versão, que lhe pareceu mais ou menos idêntica. Dois dias depois, recebeu *outra* versão, um pouco menos bem trabalhada do que a primeira. O autor não conseguia parar de fazer retoques.

Quando escrevemos uma proposta de um livro, montamos uma apresentação para os clientes, construímos um navio ou fazemos qualquer outra coisa, os ajustes podem melhorar tudo significativamente – a princípio. Mas chega um ponto em que a lei dos rendimentos decrescentes se instala, em que nossos esforços começam a superar os aprimoramentos. O momento em que algo está "pronto" ou "finalizado" é aquele logo antes que o esforço investido comece a ser maior do que o produto obtido.

Para evitar o rendimento decrescente de seu tempo e esforço, estabeleça condições claras para que algo seja considerado finalizado, chegue lá e pare.

Um minuto para a clareza

Todos temos projetos essenciais que queremos terminar. Mas é comum nos vermos empacados, incapazes de levar o projeto até a linha de chegada. Em geral, a solução é simplesmente decidir o que de fato é a "linha de chegada".

Ter clareza de qual é o aspecto de um projeto finalizado, além de nos ajudar a terminar, também nos ajuda a começar. Com frequência, procrastinamos ou temos dificuldade de dar os primeiros passos num empreendimento porque não temos em mente uma linha de chegada clara. Assim que defini-la, você dará à mente consciente e inconsciente uma instrução inequívoca. As coisas vão se encaixar e você poderá mapear a trajetória rumo a esse estado final.

É surpreendente quanta clareza se consegue obter num arroubo de um minuto de concentração. Por exemplo, quando tiver que entregar um projeto importante, pare por um minuto para fechar os olhos e realmente visualizar como seria riscá-lo como concluído: "Tratei de cada uma das questões que o cliente levantou e fiz uma revisão do texto." Leva só um minuto de concentração para esclarecer o aspecto do projeto finalizado.

Ter clareza do resultado nos concentra mais do que qualquer outra coisa. Todos os recursos se põem em funcionamento para concretizar esse resultado.

Metas vagas	O aspecto do projeto finalizado
"Emagrecer."	Olho a balança e vejo o número 80 me encarando.
"Caminhar mais."	Ter registrado no aplicativo do celular que dei 10 mil passos por dia durante 14 dias seguidos.
"Ler mais livros."	O meu leitor de livros digitais marcará "Concluído" ao lado de *Guerra e paz*.
"Entregar o grande relatório."	Digitar 12 páginas de exemplos concretos e recomendações práticas e imaginar o cliente dizendo "Incrível!".
"Lançar nosso produto."	Fazer 10 usuários beta experimentarem o aplicativo durante uma semana e nos dar feedback.
"Completar o episódio do podcast."	O podcast foi gravado e o arquivo foi publicado.

Faça uma lista "Pronto por Hoje"

Todos já experimentamos a sensação de sobrecarga que vem de olhar a extensão de uma lista de afazeres que parece infinita. Isso cria uma guerra impossível de vencer. Então como saber se o trabalho do dia está concluído? Anna e eu gostamos de usar uma lista que chamamos de "Pronto por Hoje".

A lista Pronto por Hoje não é uma lista de tudo o que, teoricamente, *poderíamos* fazer hoje nem uma lista de tudo que *adoraríamos* finalizar. Essas coisas vão se estender inevitavelmente muito além do tempo limitado disponível. Em vez disso, é uma lista do que constituirá um progresso significativo e essencial. Ao escrever a lista, um teste é imaginar como você se sentirá quando determinado trabalho terminar. Pergunte-se: "Se eu terminar tudo o que está nesta lista, ficarei satisfeito no fim do dia? Há alguma outra tarefa importante que vai me perseguir a noite toda se eu não chegar a concluí-la?" Se sua resposta à segunda pergunta for sim, essa tarefa tem que ir para a lista Pronto por Hoje.

O presente de não deixar nada inacabado

Já ouviu falar da "Faxina Sueca da Morte"?[84] Trata-se do movimento de se livrar de toda a tralha que você acumulou durante a vida inteira enquanto ainda está vivo. É uma alternativa à prática mais típica de simplesmente deixar a tarefa para seus entes queridos depois que você se for. Talvez soe mórbido, mas o processo pode ser libertador. Você põe a casa em ordem. Faz as coisas do jeito que *você* quer que sejam feitas enquanto ainda pode e evita deixar um fardo doloroso para as pessoas que são importantes para você.

A filosofia por trás da Faxina Sueca da Morte também pode se aplicar de outras maneiras ao modo como vivemos. Durante muitos anos, tenho encontrado inspiração na ideia de que, quer tenhamos consciência ou não, cada um de nós tem uma missão essencial. Todos possuímos um propósito e nossa função na vida é descobrir qual ele é e como realizá-lo. É a pergunta "Que aspecto deve ter algo finalizado?" em grande escala.

Há pouco tempo, conversei com uma amiga que sente agudamente o peso dessa pergunta. Ela sofreu dois derrames nos últimos anos. O segundo foi tão grave que os médicos não sabiam se ela sobreviveria. Mas ela sobreviveu.

Agora, ela está no último bis. Sabe que não lhe resta muito tempo na terra, mas tem dois projetos que está decidida a terminar: um é uma autobiografia; o outro, a história oral de cada uma das músicas que compôs. Ela acorda todo dia com essa intenção e reza para que esses projetos não estejam inacabados quando ela se for. Ela tem clareza de como é o "aspecto finalizado" de sua vida inteira.

E se todos pudéssemos nos dar um presente desses abordando nossas metas de vida como se fossem um projeto de Faxina Sueca da Morte?

Capítulo 7

COMEÇAR
A primeira ação óbvia

No início de 2020, a Netflix estava em 183 milhões de lares do mundo inteiro.[85] Quase não dá para acreditar que a empresa talvez não existisse se Reed Hastings não tivesse precisado pagar 40 dólares à Blockbuster mais próxima de casa por perder a fita VHS do filme *Apollo 13*, fazendo-o se perguntar se não haveria um jeito melhor de emprestar filmes às pessoas.

Como cientista da computação formado na Universidade Stanford na década de 1980, Hastings acreditava que dali a cerca de uma década a conexão doméstica à internet teria capacidade de transportar um volume tão imenso de dados em velocidade tão alta que filmes inteiros poderiam ser transmitidos sob demanda para o computador ou a TV. A ideia de Hastings era primeiro montar a Netflix como um serviço on-line de aluguel de DVDs "e depois, finalmente, a internet alcançaria a mesma velocidade das entregas físicas e as ultrapassaria".[86]

A visão final de Hastings para a Netflix era uma realização gigantesca e complexa que levaria muitos anos e precisaria de tecnologia que ainda não existia. Ele poderia ter começado traçando um processo de muitos anos e muitas fases. Poderia ter feito projeções de quando a velocidade da internet superaria a de um caminhão FedEx correndo pela estrada, traçado vários planos de negócio para diferentes cenários, examinado dezenas ou centenas de variáveis, como o custo de mandar DVDs pelo correio, o número de usos que cada disco aguentaria, o prejuízo que a empresa teria com DVDs não devolvidos ou danificados e assim por diante.

Em vez disso, Hastings mandou a si mesmo um único CD.

Ele entendia que, a menos que os DVDs pudessem ser enviados de forma confiável pelo correio sem serem danificados nem destruídos em trânsito, a ideia não teria a mínima chance de vingar. Assim, ele e seu sócio, Marc Randolph, foram a uma loja de discos em Santa Cruz e compraram um CD usado. Então, Randolph recorda, escreveram o endereço da casa de Reed em um envelope, enfiaram o CD dentro e o remeteram com um único selo comum. "No dia seguinte, quando veio me buscar", diz Randolph, "ele estava com o envelope na mão. Chegara à sua casa com o CD intacto dentro. Foi nesse momento que nos entreolhamos e dissemos: 'A ideia pode dar certo.'"[87]

O conceito era grande – enorme, na verdade. Era ambicioso e de longo prazo. Os fundadores sabiam como seria o "aspecto finalizado" – o imenso serviço global de streaming e biblioteca de conteúdo que a Netflix é hoje –, mas, em vez de mapear um plano complexo e detalhado para chegar lá, Hastings e Randolph procuraram o primeiro passo ridiculamente simples que lhes informaria se deveriam dar o segundo passo ou desistir. Enviar aquele único CD foi a maneira mais simples e mais óbvia de pôr em movimento sua ideia grandiosa.

Execute a ação mínima viável

Você não precisa se sentir sobrecarregado pelos seus projetos essenciais. Concentre-se no primeiro passo óbvio e você evitará gastar energia mental demais pensando no quinto, no sétimo ou no vigésimo terceiro passos.

Frequentemente ficamos estagnados porque avaliamos mal qual é o primeiro passo. O que achamos que é o primeiro na verdade são vários. Mas, assim que decompomos esse passo em ações físicas e concretas, aquela primeira ação óbvia começa a parecer sem esforço.

April Perry,[88] especialista em produtividade, conta a história de uma mulher que precisava de ajuda para organizar a sala de estar. Havia livros por toda parte: pilhas de livros, caixas de livros, livros em cima dos móveis, livros cobrindo cada centímetro de superfície, tantos livros que o cômodo mal podia ser usado. A mulher sabia que a solução para tirar os livros da sala era comprar estantes para o escritório. Mas até essa solução aparentemente simples parecia avassaladora.

– Se eu levar meu notebook até aí agora – perguntou-lhe Perry –, você encomendaria as estantes?

– Bom, eu gostaria – respondeu a mulher –, mas antes preciso medir as paredes do escritório e ver o tamanho certo do que tenho que encomendar.

– Tudo bem – disse Perry. – Pode medir as paredes do escritório agora?

A mulher respondeu que não, porque não conseguia encontrar a trena.

Nesse momento, as duas caíram na gargalhada. De repente, ficou claro que a verdadeira razão para essa mulher não ter feito nenhum progresso era que, até então, ela não determinara o primeiro passo óbvio: achar, pedir emprestada ou comprar uma trena.

Esse primeiro passo pode ser trivial demais para ser mencionado. Mas é muito comum que um passo minúsculo como comprar uma trena forneça o impulso de que precisamos para dar o próximo passo, e depois o seguinte.

Conheço muita gente que se inspirou a experimentar o método mundialmente famoso de Marie Kondo para organizar a casa. Eles adoraram a ideia de eliminar tudo menos as coisas que lhes trouxessem alegria. Infelizmente, algumas pessoas não chegaram a esse ponto. Isso porque, antes mesmo de começar, o método Konmari exige que você "arrume a casa inteira de uma vez".[89] É claro que o estado final é desejável. Mas, se o primeiro passo não parecer factível, muita gente vai simplesmente desistir antes mesmo de começar.

Uma alternativa é apresentada por Fumio Sasaki em *Goodbye, Things* (Adeus, coisas).[90] Ele sugere que a primeira ação seja "Descarte algo agora mesmo". E insiste com os leitores: "Não espere até terminar este livro. A melhor maneira de fazer isso é aprimorar suas habilidades conforme se separa de suas posses. Por que não fechar este livro agora e descartar alguma coisa? [...] Esse é o primeiro passo."

Quando li isso, fiz exatamente o que Sasaki sugeriu: parei de ler e descartei uma caneta hidrográfica já seca. Foi muito factível. Eu me senti bem fazendo isso, então passei mais 10 minutos descartando outras coisas: cartões de visita velhos, cotocos de lápis, uma pilha de revistas que eu sabia que nunca leria, uma bagunça emaranhada de cabos de carregadores velhos. Aliás, enquanto escrevia isso me inspirei, parei e descartei a embalagem de papelão do meu fone de ouvido já não tão novo. Mais uma vez continuei, descartando ainda mais coisas.

Esse é o poder de dar o primeiro passo físico e concreto: ele provoca um surto focado de Ação Sem Esforço.

Um princípio fundamental do pensamento do Vale do Silício – e, em termos mais gerais, do *design thinking* – é a prática de desenvolver um *produto mínimo viável*. Eric Ries, autor de *A startup enxuta*, define o produto mínimo viável como a "versão de um produto novo que permite à equipe coletar a quantidade máxima de aprendizado validado sobre os clientes com o mínimo esforço".[91] É um jeito sem esforço de testar uma ideia, porque só exige a construção da versão mais simples do produto, apenas o necessário para obter feedback confiável sobre o que os clientes querem.

Pense em como os fundadores do Airbnb (então chamado AirBed & Breakfast)[92] testaram seu conceito simplesmente postando fotos de seu apartamento numa página da internet. Logo conseguiram três hóspedes pagantes que queriam ficar lá enquanto participavam de uma conferência de design. O mais importante é que obtiveram o que Ries chama de "aprendizado validado": os clientes realmente queriam usar o produto.

Embora essa prática seja desproporcionalmente comum no mundo das startups, a mesma ideia pode se aplicar a qualquer meta ou projeto essencial. Em vez de procrastinar, de desperdiçar uma imensa quantidade de tempo e esforço planejando um milhão de cenários possíveis ou de avançar a todo vapor com o risco de viajar quilômetros pelo caminho errado, podemos optar pela primeira ação mínima viável: a ação que nos permitirá obter o aprendizado máximo com o esforço mínimo.

A magia das microexplosões

A microexplosão é um fenômeno meteorológico que provoca ventos e tempestades fortes num período curto porém intenso, em geral de apenas 10 a 15 minutos.[93] Uma coluna de vento cai de uma nuvem de chuva com velocidade de até 95 quilômetros por hora e atinge o solo com tanta força que pode derrubar árvores adultas.

No vocabulário de April Perry, a microexplosão é um surto de 10 minutos de atividade focada que pode ter um efeito imediato em nosso projeto essencial.[94] É a pequena explosão de motivação e energia que obtemos quando realizamos aquela primeira ação óbvia. A partir daí, sua energia e sua confiança só farão crescer a cada ação posterior. Por exemplo:

Projeto essencial	Primeira ação óbvia	Microexplosão
Organizar o escritório.	Pegar um saco de lixo.	Juntar os papéis espalhados e jogar fora o que não é necessário guardar.
Lançar um produto.	Criar um documento na nuvem para registrar ideias.	Fazer um brainstorming para possíveis recursos do produto.
Terminar um grande relatório.	Pegar caneta e papel.	Rascunhar as linhas gerais do relatório.

O poder de 2,5 segundos

Nos últimos anos, neurocientistas e psicólogos descobriram que o "agora" que vivenciamos dura só 2,5 segundos.[95] Esse é o nosso presente psicológico. Uma das implicações disso é que o progresso pode acontecer em incrementos minúsculos.

Dois segundos e meio é tempo suficiente para mudar o foco: pôr o celular de lado, fechar o navegador, respirar fundo. É tempo suficiente para abrir um livro, pegar uma folha de papel em branco, calçar os tênis de corrida ou abrir a gaveta da bagunça e achar a trena.

É claro que 2,5 segundos também é tempo suficiente para se envolver em atividades não essenciais. As grandes empresas de tecnologia tiram proveito disso em sua competição incansável por nossa atenção. Elas vivem testando novas maneiras de nos oferecer unidades de informação menores: 280 caracteres no Twitter, curtidas no Facebook e no Instagram, *feeds* de notícias que podemos absorver rapidamente rolando a tela. Essas miniatividades não parecem desperdício de tempo; *afinal de contas*, pensamos, *o que são alguns segundos?* O problema é que elas raramente se somam para nos fazer avançar rumo às metas que esperamos atingir. Elas são fáceis, mas inúteis.

Quando temos dificuldade para determinar a primeira ação óbvia, precisamos tornar um pouco mais fácil começar o que é importante agora ou tornar um pouco mais difícil fazer outra coisa trivial no lugar. Olhar esse primeiro passo ou ação pela lente dos 2,5 segundos é a mudança que possibilita todas as outras mudanças. É o hábito dos hábitos.

CAPÍTULO 8

SIMPLIFICAR
Comece do zero

Em fevereiro de 1998, Peri Hartman[96] saiu do prédio de tijolinhos em Seattle que servia de quartel-general da Amazon para uma reunião com Jeff Bezos e Shel Kaphan, primeiro funcionário da Amazon e chefe de desenvolvimento de software. Ele caminhou cerca de um quarteirão até uma microcervejaria localizada no famoso Pike Place Market para conversar com eles durante o almoço.

Bezos tinha convocado a reunião porque estava pensando muito sobre as dificuldades enfrentadas no processo de finalização da compra em seu site de comércio eletrônico, que estava crescendo rapidamente. Para fazer um pedido, os clientes tinham que passar por uma longa série de etapas, como era típico das compras on-line na época. Havia uma página para digitar o nome: clique. Uma página para digitar a primeira linha do endereço: clique. Cidade, CEP, bandeira de cartão de crédito, número do cartão de crédito e data de validade. Para acrescentar um endereço de cobrança, eram outros tantos passos, com várias paginas: clique, clique, clique. Endereço de entrega: mais cliques.

Na época, não havia função de preenchimento automático, ou seja, a finalização da compra poderia levar vários minutos.

Em certo momento do almoço, Bezos disse: "Precisamos de algo que simplifique o processo, para que o cliente feche o pedido com o mínimo de esforço. Ele deveria ser capaz de clicar numa coisa e pronto."[97]

Ao recordar a experiência, Hartman diz que as ordens eram claras: "A meta era facilitar." Bezos reconhecia que "quanto mais passos, mais tempo eles [os clientes] tinham para mudar de ideia. Se conseguirmos fazer com que o usuário compre com um clique, será mais provável que ele efetue a compra".

Na época, a ideia toda de comprar pela internet ainda era nova e bastante complicada para muitos. Navegar pelo longo processo de cliques não era nada intuitivo e muito mais trabalhoso que o processo ao qual as pessoas estavam acostumadas, ou seja: ir até o balcão e dar o cartão de crédito ao funcionário da loja. Digitar toda vez as informações de cobrança, pagamento e envio era uma barreira, um incômodo. Reduzir toda essa complexidade a um único clique seria um avanço imenso.

Analisando em retrospecto, a solução de um clique parecia óbvia. Mas Hartman, um programador inteligente e entusiasmado, passara até então dois a três meses agilizando e simplificando cada passo do processo de compra e nem por um momento pensara na possibilidade de compra com um só clique. "Ninguém estava fazendo isso", explicou ele. "Jeff disse para fazer. Então fizemos."

A Amazon conseguiu a patente do processo de um clique,[98] que durou quase 20 anos, e isso lhe deu uma vantagem imensa sobre os concorrentes on-line. É impossível isolar o valor exato dessa única inovação, mas claramente foi enorme.

Os passos mais simples são aqueles que você não dá

É surpreendente saber que Hartman passou meses tentando simplificar cada passo do processo de compra mas não pensou em *remover passos* para tornar *o processo em si* mais simples. Há uma enorme diferença entre os dois.

Por mais simples que o passo seja, mais fácil ainda é não dar nenhum passo.

Quando meu filho tinha 12 anos, estabeleceu como meta se tornar um *Eagle Scout* (o grau mais alto dos escoteiros americanos) antes dos 14 anos. Era uma meta ambiciosa segundo qualquer padrão, mas a atacamos juntos, produzindo ótimas lembranças pelo caminho.

Pouco antes dos 14 anos, ele começou seu projeto final *Eagle*, em que trabalhou com uma equipe de 40 pessoas para reconstruir 55 metros de cerca destruídos nos incêndios da Califórnia no ano anterior. Agora, só faltava escrever um relatório sobre o projeto. Não parecia muita coisa, mas, depois de quase dois anos de trabalho ininterrupto com os escoteiros, esse único projeto se expandiu tanto em nossa mente que ficou mais fácil adiá-lo.

Havíamos começado cedo a produzir o relatório. Na verdade, quando perdemos o ímpeto já tínhamos metade pronta. Mas às vezes a segunda metade de um projeto parece muito mais assustadora que a primeira. Não conseguíamos parar de pensar em todo tipo de extras que tornariam o relatório ainda melhor: um ensaio de abertura cheio de detalhes vivos e precisos, dezenas de fotos, gráficos profissionais. Não ajudava termos visto projetos extravagantes a que outros escoteiros dedicaram centenas de horas (ou, na maioria dos casos, a que *seus pais* tinham dedicado centenas de horas), o que elevava ainda mais o nível do esforço que achávamos ser necessário aplicar para terminar.

Assim, o relatório empacou. Sempre que pensávamos em retomá-lo, nos sentíamos oprimidos pela tarefa. Os dias começaram a passar sem que fizéssemos nenhum progresso.

Depois de uns 15 dias assim, comecei, por acaso, a pesquisar sobre a simplificação de processos em organizações complexas. De repente, entendi tudo: estávamos tornando esse processo muito mais complicado do que o necessário. Por acrescentar tantas etapas, mesmo que só mentalmente, tinha ficado difícil dar um só passo que fosse. Assim, recuamos e nos perguntamos: "Quais são os passos mínimos necessários para finalizar isso?"

Não precisávamos criar uma pasta especial de madeira para guardar o relatório. Não tínhamos que incluir todas as fotos que tiramos. Não era necessário escrever parágrafos para descrever cada foto nem elaborar uma capa sofisticada para o relatório. O ensaio de abertura não precisava ser uma obra-prima.

Assim, nossa lista ficou reduzida a passos verdadeiramente essenciais: "Selecionar 20 citações. Diagramar a capa. Escrever um ensaio de três páginas respondendo apenas às perguntas feitas. Imprimir, levar até a sede dos escoteiros e entregar." Pronto.

Aquele projeto importante para o meu filho passou de empacado a finalizado numa fração do tempo porque delineamos e depois concluímos o número mínimo de passos. Ele se tornou um *Eagle Scout* uma semana antes de completar 14 anos.

É claro que esse conceito não se restringe a projetos de escoteiros. De modo geral, a única pergunta que pode lhe poupar incontáveis dores de cabeça e fazer você avançar em projetos prioritários que parecem dificílimos ou complexos é a seguinte:

Quais são os passos mínimos necessários para finalizar o projeto?

Para deixar claro, identificar o número mínimo de etapas não é uma "gambiarra" nem implica produzir algo de que você não vai se orgulhar. Passos desnecessários são exatamente isso:

desnecessários. Eliminá-los permite que você canalize toda a sua energia para finalizar o projeto importante. Em praticamente todas as esferas, concluir é infinitamente melhor do que acrescentar etapas supérfluas que não acrescentam valor.

Para ter sucesso em alguma coisa, é preciso concluí-la.

Nem tudo precisa de um esforço a mais

Meu melhor amigo de infância sempre estudava menos tempo do que eu, mas tirava notas melhores. Seu segredo: quando a professora lhe pedia alguma coisa, ele fazia o que era solicitado e nada mais. Só isso. Eu, por outro lado, ia fundo: lia além do que era solicitado, pesquisava mais do que o necessário. Eu me ocupava tanto com o desnecessário que não fazia o básico.

Fazer um esforço a mais de um jeito essencial é uma coisa: o cirurgião que dá aquele passo extra para impedir infecções no lugar de uma incisão, por exemplo. Mas acrescentar ornamentos desnecessários e superficiais é outra bem diferente. Eis uma regra que considero útil: *Alguém pedir que você faça X não é razão suficiente para fazer Y.*

Por exemplo, se lhe pedem para fazer uma apresentação, isso não é razão suficiente para criar slides com vídeos, gráficos elaborados e páginas e mais páginas de dados. Quantas vezes você foi forçado a assistir a apresentações com slides em excesso? Ou palavras em excesso em cada slide? Ou tudo em excesso? É realmente essa experiência que você quer criar para os outros?

Um momento crucial da virada lendária da IBM revela uma abordagem melhor.[99] Louis V. Gerstner era novo no cargo de CEO e convidara Nick Donofrio, um de seus líderes executivos, para discursar numa reunião geral. Gerstner recorda: "Na época, o formato-padrão de todas as reuniões importantes da IBM era uma apresentação com retroprojetores e gráficos em transparências. Nick estava na segunda transparência quando fui até a mesa e, com o máximo de educação possível diante da equipe dele, desliguei o projetor. Depois de um longo momento de silêncio constrangedor, eu disse simplesmente: 'Vamos apenas falar sobre os negócios.'"

Ir direto ao que interessa deveria ser a meta de todas as apresentações. Assim, na próxima vez que você tiver que escrever um relatório, dar uma palestra ou realizar uma apresentação de vendas, resista à tentação de fazer acréscimos desnecessários. Eles são uma distração não só para você como também para o seu público. É por isso que, quando faço apresentações, uso somente seis slides, com menos de 10 palavras no total.

Raramente é necessário fazer um esforço além do que é essencial. E fazer o esforço mínimo é melhor do que não chegar a lugar nenhum.

Comece do zero

Quando a equipe com os melhores designers de produto da Apple se reuniu com Steve Jobs para apresentar o projeto que acabou se tornando o iDVD – um aplicativo hoje extinto que permitia aos usuários gravar arquivos de música, filmes e fotos digitais armazenados no computador num DVD físico –, eles esperavam que o chefe fosse ficar impressionado. O design era limpo e bonito e, embora contasse com várias características e funções, eles se orgulhavam de terem simplificado a versão original do produto, cujo manual do usuário tinha mil páginas.

No entanto, como a equipe logo descobriu, Jobs tinha outra coisa em mente. Ele foi até o quadro branco e desenhou um retângulo. Então disse: "Aqui está o novo aplicativo. Tem uma janela. Você arrasta o vídeo para a janela. Depois, clica no botão que diz *GRAVAR*. É isso. É isso que vamos fazer."[100]

Mike Evangelist, um dos designers presentes à reunião, ficou embasbacado. Ele disse: "Ainda tenho os slides que preparei para aquela reunião, e são ridículos em sua complexidade." Só mais tarde ele conseguiu ver claramente que "todas aquelas outras coisas só estavam atrapalhando".

Evangelist me contou que a maior descoberta foi que ele e sua equipe estavam olhando o *processo* do jeito errado. Tinham começado com um produto complicadíssimo e tentado simplificá-lo. Mas Jobs o abordou pelo ângulo oposto. Começou do zero e tentou imaginar o número mínimo de passos necessários para chegar ao resultado desejado.

Ficamos tão acostumados com a complexidade de todos os processos da vida que raramente paramos para questioná-la. Por exemplo, enquanto escrevia este livro, lancei um podcast.

A princípio, as instruções que eu deveria enviar a cada convidado que participasse do podcast comigo tinham 15 passos:

1. Faça login em Zencastr.com com as seguintes credenciais:
2. Usuário: XYZ
3. Senha: ABC
4. Clique no link do e-mail do Zencastr que você vai receber pouco antes da entrevista.
5. Para assegurar a melhor qualidade de áudio, quando o Chrome perguntar, autorize as notificações do Zencastr.
6. Marque o Zencastr (clique no ícone de estrela no lado direito da barra de endereços do Chrome) como seguro para o passo 3.
7. Veja se o status do microfone no Health Check é "Aprovado".
8. Se não for, clique na aba no centro inferior do retângulo da barra de som com o seu nome para ver qual é o problema, clique no link e resolva.
9. Confirme que consegue me ouvir e que podemos falar um com o outro via Zencastr.
10. Clique no link do Zoom que lhe mandarei por e-mail (também deve estar no convite do calendário).
11. Assim que entrar no vídeo do Zoom, imediatamente deixe o microfone mudo.
12. Ative a câmera.
13. Quando eu iniciar a gravação no Zencastr e no Zoom, confirme que você vê o ícone de gravação nos dois e faça comigo o teste das palmas.
14. Agora poderemos começar!
15. Quando terminar, faça logout do Zencastr antes de fechar a janela.

Isso era coisa demais até para eu *ler*, quanto mais para os convidados seguirem e executarem.

Então comecei do zero. Perguntei a mim mesmo: "Qual é o número mínimo de passos que alguém deveria dar para conversar comigo via Zencastr?" Assim que encontrei a resposta, reduzi o processo a isto:

1. Clique no link do e-mail do Zencastr que você vai receber pouco antes da entrevista.
2. Eu vou iniciar e finalizar a gravação, você só vai precisar falar.

E só. Apenas dois passos simples.

Se existem processos na sua vida que parecem envolver um número excessivo de passos, experimente começar do zero. Então veja se consegue encontrar um caminho até o mesmo resultado só que com menos passos.

Maximize os passos não dados

Em fevereiro de 2001, 17 desenvolvedores influentes se reuniram no Lodge at Snowbird (uma estação de esqui no estado de Utah) para relaxar, bater papo, comer, esquiar e discutir diversos aspectos do desenvolvimento de softwares. Suas conversas naquele fim de semana resultaram em um documento, hoje muito lido, chamado "Manifesto pelo desenvolvimento ágil de softwares".[101] Nele, o grupo codificou um conjunto de princípios para desenvolver softwares melhores com a remoção de obstáculos e a criação de uma experiência sem esforço para o usuário.

Um dos 12 princípios do Manifesto Ágil afirma: "A simplicidade, arte de maximizar a quantidade de trabalho que não precisou ser feito, é essencial." Com isso eles queriam dizer que o objetivo deve ser criar valor para o cliente e, se for possível fazer isso usando menos código e menos recursos, é exatamente assim que deve ser.

Embora esse princípio se refira ao processo de desenvolvimento de softwares, podemos adaptá-lo a qualquer processo cotidiano, dizendo: "A simplicidade, arte de maximizar *os passos que não precisaram ser dados*, é essencial." Em outras palavras, seja qual for o nosso objetivo supremo, devemos nos concentrar somente nos passos que acrescentam valor. Todos os passos não essenciais vêm com custo de oportunidade, e a cada passo não essencial removido ganhamos mais tempo, energia e recursos cognitivos para aplicar no que é essencial.

Talvez você se surpreenda com o número de metas aparentemente complexas que se pode alcançar e com a quantidade de tarefas aparentemente complexas que se consegue concluir em poucos passos. Como observa o jornalista esportivo Andy Benoit, a maioria dos gênios "não prospera por desconstruir complexidades intricadas, mas por aproveitar simplicidades despercebidas".[102]

CAPÍTULO 9

PROGREDIR
A coragem de ser tosco

Em 1959, um magnata da indústria britânico chamado Henry Kremer[103] sonhou com um futuro em que o voo movido por força humana seria acessível para todos. Decidido a fazer o possível para concretizar esse sonho, ele lançou o Prêmio Kremer: uma recompensa generosa para incentivar projetistas a construírem aeronaves que pudessem ser movidas inteiramente por uma única pessoa.

Um prêmio de 50 mil libras iria para a primeira equipe que criasse uma aeronave capaz de voar fazendo um oito em torno de dois obeliscos com 800 metros de distância entre si. E um prêmio de 100 mil libras foi oferecido à primeira equipe que cruzasse o canal da Mancha numa dessas aeronaves.

Dadas as realizações aeronáuticas da época, construir o que se resumia a uma bicicleta voadora viável parecia um desafio realista. Afinal de contas, meio século se passara desde que Orville Wright fizera seu voo ao sul de Kitty Hawk, na Carolina do Norte, e 40 anos desde o primeiro voo transatlântico sem escalas. Uma década antes, Chuck Yeager rompera a barreira do som. E apenas uma década depois Neil Armstrong e Buzz Aldrin pisariam na Lua. No entanto, por mais que o desafio parecesse factível, muitas equipes talentosas tentaram e fracassaram ao longo de mais de 17 anos.

Entra em cena Paul MacCready. Amarrado a uma dívida imensa na época, ele não tinha uma equipe propriamente – eram amigos e familiares, como o filho adolescente, que alistou como piloto de testes. Enquanto isso, os concorrentes contavam com bastantes recursos e pessoal e construíam "grandes aviões complexos e elegantes", com asas de ampla envergadura, muitas "costelas" de madeira e revestimento de metal ou plástico grosso. Mas essas equipes "não chegavam nem perto de ganhar" o prêmio.

A princípio, MacCready não conseguiu descobrir por quê. Então entendeu: todos estavam trabalhando para resolver o problema errado. O verdadeiro desafio não era construir uma aeronave elegante que fizesse o oito em volta dos dois obeliscos; era construir uma aeronave grande e leve, "por mais feia que fosse", que pudesse cair, "depois ser consertada, modificada, alterada e reprojetada... depressa". Foi então que, de repente, ele percebeu: "Existe um jeito fácil de fazer."[104]

MacCready e o filho se puseram imediatamente a trabalhar num modelo inspirado num dos mecanismos mais simples e aerodinâmicos da natureza: o voo dos pássaros. Em dois meses, eles já voavam na primeira versão do *Gossamer Condor*. O veículo pesava apenas 25 quilos e parecia amador, principalmente quando comparado aos modelos mais esguios que os outros tinham criado, mas a questão era exatamente essa. MacCready disse: "Se a aeronave caísse no pouso, a gente pegava um cabo de vassoura e fita isolante, colava o cabo no lugar e voltava a voar em cinco minutos. Por outro lado, um acidente desses faria com que as outras equipes maiores e mais sofisticadas ficassem impedidas de voar durante uns seis meses. Com isso conseguimos uma enorme experiência de voo."

No decorrer de poucos meses, o *Gossamer Condor* fez 222 voos, às vezes vários no mesmo dia. Algumas máquinas concorrentes não fizeram isso em sua vida inteira. Foi no 223º voo que o *Condor* cumpriu o desafio do oito e ganhou o primeiro Prêmio Kremer. Dois anos depois, MacCready levou o segundo Prêmio Kremer quando o *Gossamer Albatross* cruzou o canal da Mancha.

Sua ideia mais brilhante não foi nenhuma descoberta avançada da ciência do voo. Foi simplesmente compreender que se concentrar na elegância e na sofisticação do aparelho era, na verdade, um obstáculo ao progresso. Um modelo feio que pudesse cair e ser consertado e reprojetado depressa tornaria muito mais fácil progredir no que realmente importava: construir uma aeronave que, como MacCready explicou, pudesse "virar à esquerda, virar à direita, subir o suficiente no início e no fim do voo".

Do mesmo modo, em nossa busca pelo que importa, se você quer "construir uma aeronave melhor", não tente acertar tudo na primeira vez. Dê uma chance ao tosco, "por mais feio que seja", para que você possa cair, consertar, modificar e reprojetar depressa. É um caminho muito mais fácil para aprender, crescer e progredir no que é essencial.

Comece com algo tosco

Muitos de nós somos impedidos de produzir algo maravilhoso porque entendemos mal o processo criativo. Vemos algo excepcional ou bonito já terminado e imaginamos que tenha começado como uma linda versão daquilo que estamos vendo. Mas a verdade é o extremo oposto.

Ed Catmull, ex-CEO da Pixar, já disse: "Todos começamos feios. Todas as histórias da Pixar começam assim."[105] Os primeiros esboços, de acordo com Catmull, são "esquisitos e deformados, vulneráveis e incompletos". É por isso que Catmull sempre trabalhou muito para promover uma cultura que criasse espaço para o "tosco", porque ele sabe que não haveria Buzz Lightyear sem centenas de ideias horríveis pelo caminho. Como ele explica, a "Pixar está configurada para proteger o bebê feio do nosso diretor".

Na farmacêutica Pfizer, há um programa chamado "Dare to Try" (Ouse tentar),[106] que enfatiza sete aspectos específicos para promover inovações. Por exemplo: "frescor" incentiva os funcionários a encontrar ideias em lugares novos; "brincadeira" se inspira na curiosidade e na diversão das crianças; e "estufa" protege de críticas duras as ideias em fase inicial, por mais toscas que sejam, para que possam crescer.

As pessoas mais perfeccionistas tendem a ter dificuldade com a ideia de começar com algo tosco; elas se exigem um padrão de perfeição elevado em todos os estágios do processo. Mas o padrão que procuram manter não é realista nem produtivo.

Por exemplo, muita gente cita o aprendizado de outra língua como um projeto essencial, um sonho importante, mas nunca pratica o idioma porque tem vergonha. Elas querem ser impecáveis – ou, pelo menos, não passar vexame – desde o começo. Um amigo meu que ensina espanhol tem outro ponto de vista. Como estudante excepcional (com graduação em Direito na Universidade Stanford e doutorado em Princeton), ele aprendeu que, quando se trata de idiomas estrangeiros, abraçar os erros acelera o aprendizado. Ele instrui seus alunos de idiomas a imaginar que têm um saco com mil miçangas. Toda vez que cometerem um erro conversando com alguém na língua que estão aprendendo, eles vão tirar uma miçanga. Quando o saco estiver vazio, eles terão dominado o nível 1. Quanto mais depressa cometerem esses erros, mais depressa vão progredir.

Tem algo novo que você quer aprender mas que o intimida? Algo que sabe que lhe acrescentaria muito valor, em termos pessoais ou profissionais, mas que o assusta por causa do caminho longo até dominar o assunto? Então experimente nossa versão do exercício do "saco de miçangas" e mude o foco para cometer o máximo possível de erros quando estiver começando.

Não há maestria sem erros. E não há aprendizado sem a coragem de ser tosco.

Por exemplo, decidi recentemente fazer um curso on-line. Para conseguir a aprovação no final, eu poderia ler a montanha de material com atenção e minúcia, assistir a todos os vídeos, fazer anotações detalhadas e decorar tudo, com a meta de acertar 100% de todos os testes, todas as vezes. Seria uma trabalheira insana. O mais provável seria eu acertar tudo nos primeiros testes e me esgotar, abandonar a iniciativa e nunca chegar à prova final.

Em vez disso, decidi simplesmente fazer o teste sem nenhum preparo, sabendo que erraria cerca de 50% das respostas. Na verdade, minha meta era esta: errar o mais depressa possível para ver as respostas certas. Eu não queria desperdiçar tempo e energia com o que já sabia; queria ver o que não sabia, para poder me concentrar nesses pontos. No começo, minha pontuação foi péssima em vários testes. Aí eu olhava o que tinha errado e fazia novos testes. Logo minha pontuação melhorou um pouco, depois melhorou mais. Mais cedo ou mais tarde terei o conhecimento de que preciso para passar na prova.

Barateie o fracasso

Dar a si mesmo permissão para errar exige coragem. Assusta. Ficamos vulneráveis. Quanto mais coisa em jogo, mais coragem é necessária. Assim, dado que nossa reserva de coragem é limitada, queremos encontrar um jeito de experimentar o fracasso – e de aprender com ele – que seja o mais barato possível.

Por exemplo, quando nossos filhos eram menores, Anna e eu queríamos que tivessem a oportunidade de fazer besteira com o dinheiro enquanto havia pouca coisa em jogo. Afinal de contas, achávamos melhor que cometessem erros com a mesada aos 8 e 10 anos do que com a poupança quando adultos.

Assim, lhes demos três potes de vidro: um para caridade, um para poupar e um para gastar. Quando recebiam a mesada, cabia a eles decidir onde pôr o dinheiro. Não oferecemos conselhos sobre qual quantia poupar ou gastar. Queríamos que *eles* tomassem as decisões, principalmente as ruins. Por exemplo, certa vez nosso filho gastou 40 dólares num carro de corrida elétrico e depois se arrependeu, pois o dinheiro fez falta para uma compra grande de Lego para a qual estava poupando. Hoje ele é adolescente e está economizando para uma viagem em missão humanitária, e tenho certeza de que não se arrependerá. Isso porque aprendeu com seus erros quando os riscos eram menores. Não queremos que nossos filhos aprendam a lidar com dinheiro do jeito mais difícil; queremos que aprendam do jeito fácil, do jeito mais barato.

Para progredir sem esforço naquilo que importa, os erros do aprendizado devem ser incentivados. Isso não é dar a si ou aos outros permissão para produzir constantemente trabalho de má qualidade, é simplesmente se libertar da pressão absurda de fazer tudo sempre com perfeição.

Como Reid Hoffman, um dos fundadores do PayPal e do LinkedIn, disse a Ben Casnocha, seu recém-contratado braço-direito: "para avançar depressa, espero que você dê alguns passos em falso. Acho aceitável uma taxa de erros de 10% a 20%... se com isso você puder avançar depressa."[107] Ben recorda: "Eu me senti autorizado a tomar decisões com essa proporção em mente, e foi incrivelmente libertador."

Não surpreende que Reid defenda a mesma filosofia no empreendedorismo e nos negócios. "Se não tiver vergonha do primeiro produto que lançou", ele diz, "você lançou tarde demais."[108] Ou, em outras palavras, "Quando se trata de lançamento de produtos, imperfeito é perfeito."

Proteja seu bebê tosco das críticas duras da sua cabeça

Outra forma de tornar o fracasso o mais barato possível é proteger nossa iniciativa tosca das críticas duras da nossa cabeça. Em vez de se envergonhar do saque que bateu na rede, comemore por estar na quadra. Em vez de se diminuir pelo mais minúsculo dos erros, orgulhe-se de ser improvável que você volte a cometer o mesmo erro. Sempre que se sentir inseguro com algum desafio importante que aceitou, converse consigo mesmo como falaria com um bebê aprendendo a andar: "Você deu o primeiro passo. Pode se sentir um pouco instável agora, mas já começou. Você vai chegar lá."

E lembre-se de que toda grande realização é tosca no começo. Todas elas. Como disse o dramaturgo irlandês George Bernard Shaw: "A vida passada cometendo erros é, além de mais digna, mais útil do que uma vida passada sem fazer nada."[109]

Adote a estratégia do "rascunho zero"

Conheci muita gente que sente o chamado de escrever um livro. Mas, em geral, essas pessoas desistem antes de produzir o primeiro rascunho do primeiro capítulo. A crença de que toda frase tem que ser perfeita ou quase perfeita para ser merecedora da página as impede até de iniciar o processo. Recomendo que adotem a estratégia do "rascunho zero". Isto é: escreva uma versão tão tosca desse primeiro capítulo que nem possa ser considerada um primeiro rascunho.

A ideia do rascunho zero é escrever *qualquer coisa*. Quanto mais tosca, melhor. Não é preciso que ninguém veja. O texto nunca terá que ser julgado. Nem pense nele como rascunho; são só palavras numa folha de papel. Você ficará surpreso ao ver como é fácil fazer a criatividade fluir dessa maneira. A premiada poeta e memorialista americana Maya Angelou disse: "Quando estou escrevendo, escrevo. Então é como se a musa se convencesse de que falo sério e dissesse: 'Tudo bem. Tudo bem. Já estou indo.'"

Margaret Atwood, a prolífica escritora de 18 livros de poesia, 18 romances, 11 livros de não ficção, 9 coletâneas de contos e 8 livros infantis, escreveu: "Uma palavra depois da outra depois da outra é poder."[110] Até palavras toscas são mais poderosas do que uma página em branco. Na verdade, são muito mais poderosas, porque não pode haver obra-prima mais tarde sem essas tosqueiras do início.

Portanto, se estiver se sentindo oprimido por um projeto essencial porque acha que tem que produzir algo impecável desde o princípio, basta baixar seus padrões para começar. Seja escrever um livro, compor uma música, pintar um quadro ou qualquer outra iniciativa criativa que o atraia, a inspiração vem da coragem de começar com algo tosco.

Quando aceitamos a imperfeição, quando temos a coragem de ser tosco, conseguimos dar o primeiro passo. E, assim que começamos, ficamos um pouco menos toscos, depois menos ainda. Mais cedo ou mais tarde, de um início tosco virão avanços excepcionais e sem esforço nas coisas que mais importam.

Capítulo 10

ESTABELECER UM RITMO
Devagar é tranquilo, tranquilo é rápido

No meio da grande era das explorações, nos primeiros anos do século XX, a meta mais perseguida do mundo era chegar ao polo Sul.[111] Isso nunca havia sido feito na história humana documentada: nem por Píteas, o primeiro explorador polar por volta de 320 a.C., nem pelos vikings mil anos depois, nem pela Marinha Real, com todo o seu poderio, nos anos do grande Império Britânico.

Em novembro de 1911, dois "rivais pelo polo" tentaram ser os primeiros a atingir esse objetivo ambicioso: o capitão Robert Falcon Scott, da Grã-Bretanha, e Roald Amundsen, da Noruega, também chamado de "o último viking".

Eles partiram com dias de diferença numa corrida de 2.400 quilômetros contra o tempo. Uma equipe voltaria vitoriosa; a outra não voltaria.

Ao ler os diários deles, porém, você nunca adivinharia que as duas equipes fizeram exatamente a mesma viagem sob as mesmíssimas condições. Nos dias de tempo bom, Scott levava sua equipe à exaustão. Nos dias de tempo ruim, ele se encolhia na barraca e registrava suas reclamações no diário. Num desses dias, ele escreveu: "Nossa sorte com o clima é ridícula. Eu me sinto um pouco amargo ao comparar essas condições com aquelas encontradas por nossos antecessores." Em outro, escreveu: "Duvido que qualquer grupo consiga viajar com esse tempo."

Mas um grupo conseguiu. Num dia de nevasca semelhante, Amundsen registrou em seu diário: "Foi um dia desagradável – temporal, tempestade de neve soprada e queimaduras de frio –, mas chegamos 20 quilômetros mais perto da meta."

Em 12 de dezembro de 1911, a trama ficou mais intrigante: Amundsen e sua equipe chegaram a 72 quilômetros do polo Sul, mais perto do que todos os que já haviam tentado. Tinham percorrido mais de mil quilômetros sofridos e estavam prestes a vencer a corrida de suas vidas. E a cereja do bolo: naquele dia, o clima estava a favor deles. Amundsen escreveu: "Avanço e superfície melhores do que nunca. Clima esplêndido: calmo, com sol." Eles contavam com as condições ideais para avançar de esqui e trenó até o polo Sul. Com um grande impulso, chegariam lá num único dia.

Em vez disso, levaram três dias. Por quê?

Desde o começo da jornada, Amundsen insistiu que o grupo avançasse exatos 24 quilômetros por dia, nem mais, nem menos. O último trecho não seria diferente. Fizesse chuva ou sol, Amundsen "não permitiria que os 24 quilômetros diários fossem excedidos". Enquanto Scott só permitia que sua equipe descansasse nos dias "em que congelava" e forçasse o pessoal a um "esforço desumano" nos dias "em que degelava", Amundsen insistia em bastante repouso e manteve um ritmo constante durante toda a viagem até o polo Sul.

Essa única diferença simples entre as duas expedições explica por que a equipe de Amundsen chegou ao polo e a de Scott pereceu. Em última análise, estabelecer um ritmo firme, constante e sustentável foi o que permitiu ao grupo norueguês alcançar o destino "sem esforço excepcional", como explica Roland Hunford, autor de um livro fascinante sobre essa corrida ao polo Sul.

Sem esforço excepcional? Eles realizaram uma façanha que escapou aos aventureiros durante milênios. É claro que nem todos os dias foram fáceis, mas, mesmo sob as condições mais duras, a meta era factível, graças àquela regra simples: eles não excederiam 24 quilômetros por dia, não importava o que acontecesse.

Em 14 de dezembro de 1911, Amundsen levou sua equipe a se tornar a primeira na história documentada a atingir o polo Sul. Depois, eles fizeram em segurança a viagem de volta. Enquanto isso, Scott e sua equipe exausta e desmoralizada chegaram ao polo e descobriram que estavam 34 dias atrasados. A viagem de volta foi ainda mais desventurada; a equipe cambaleou em total exaustão e as queimaduras de frio cobraram seu preço pavoroso, até que os cinco homens morreram congelados. Alguns tinham tanta certeza de que esse seria seu destino que escreveram bilhetes na esperança de que, algum dia, amigos e familiares pudessem lê-los.

A falsa economia de forçar seus limites

Quando tentamos fazer progresso demais numa meta ou num projeto logo de cara, podemos acabar presos num círculo vicioso: ficamos cansados, fazemos uma pausa, mas aí pensamos que temos que compensar o tempo perdido e damos outra arrancada vigorosa. Por exemplo, eu tinha uma amiga desesperada para terminar de redigir seu plano de negócios. Para isso, ela decidiu passar um fim de semana inteiro trabalhando nele, sem pregar os olhos. Ela forçou seus limites. Mas isso a deixou tão esgotada que, durante semanas, não conseguia nem pensar no plano, muito menos trabalhar nele outra vez. "Quando eu tentava, meu cérebro simplesmente desligava", lembra ela.

Na adolescência, estabeleci a meta de competir numa corrida cross-country de 5 quilômetros em Yorkshire, região da Inglaterra onde cresci. Quando o dia chegou, eu estava nervoso. Com meus pais e avós assistindo, fui para a linha de partida. Embora não me sentisse totalmente preparado, eu poderia ter ido bem se houvesse começado do jeito que pretendia: devagar.

Eu gostava de correr assim: começar lentamente e aos poucos aumentar a velocidade, sentindo o jorro de adrenalina quando vinha por trás e ultrapassava os outros corredores. Mas meus nervos me venceram. Joguei fora minha estratégia e disparei pelo portão com os outros corredores. Dei uma arrancada violenta nos primeiros metros e aí tive que parar, ofegante, com apenas 100 metros de corrida. Acabei recuperando o fôlego, mas o estrago estava feito: eu ficara para trás, e lá me mantive o tempo todo. Foi doloroso. Cheguei no 57º lugar entre 60 corredores. Hoje vejo que o custo daquela arrancada foi maior do que a perda de uma única corrida. A derrota foi tão humilhante que nunca mais competi em nenhuma outra corrida cross-country.

Quando estamos tentando alcançar algo importante para nós, é tentador dar uma arrancada forte logo ao partir. O problema é que ir depressa demais no começo quase sempre vai nos fazer desacelerar pelo resto do caminho.

O custo dessa mentalidade "tudo ou nada" para completar projetos importantes é alto demais: ficamos exaustos nos dias em que arrancamos forte e esgotados e desmoralizados nos dias em que não o fazemos; com frequência, tal como aqueles exploradores britânicos, acabamos nos sentindo derrotados e ainda longe de atingir a meta.

Por sorte, há uma alternativa. Podemos encontrar o ritmo sem esforço.

Determine seu limite superior

Em meus primeiros dias de aspirante a escritor, eu era apaixonado e motivado, mas inconstante. Em alguns dias, escrevia. Em outros, falava sobre escrever. E nos dias intermediários falava sobre o que estava pensando da escrita. Nesse meio-tempo, minha amiga musicista decidiu escrever um livro sobre suas canções. Ela era prolífica na produção de música: escrevera mais de 3 mil canções, compusera 9 cantatas e gravara 101 álbuns.[112] Sua música ganhou o mundo e foi apresentada inclusive numa cerimônia de posse presidencial e no *The Oprah Winfrey Show*. Era de tirar o fôlego ver tudo o que ela realizara com seu ritmo firme durante muitos anos. Mas como se sairia como escritora?

Bastante bem, como pude comprovar. Ela decidiu escolher 100 canções e contar a história por trás de cada uma delas. Iria escrever duas histórias por semana, "portanto seria factível", explicou. E, quando terminava essas duas histórias, ela encerrava os trabalhos daquela semana, mesmo que tivesse energia e apetite para escrever mais. Duas histórias por semana eram seu limite superior. Fiquei espantado ao saber que em nove meses seu livro foi finalizado e enviado à editora. Enquanto isso, eu ainda trabalhava no meu de forma intermitente.

Parar quando você ainda tem ímpeto pode parecer uma

abordagem contraintuitiva para concluir coisas importantes, mas, na verdade, esse tipo de restrição é fundamental para uma produtividade revolucionária. Como explica Lisa Jewell, autora de vários romances de sucesso: "Estabeleça um ritmo. Se escrever demais e muito depressa, você vai sair pela tangente e perder o rumo; se escrever sem frequência, vai perder o impulso. Mil palavras por dia são um bom volume para produzir em marcha lenta."[113]

Ben Bergeron[114] é um ex-competidor do Ironman que treina os atletas com melhor forma física do Reino Unido. Certamente não lhe falta resistência física para fazer hora extra quando o cliente exige, mas ele tem uma regra que mantém seu bom desempenho pessoal e profissional: para de trabalhar às 17h25 todo santo dia. Num dia calmo, sai do escritório às 17h25. Num dia agitado? Sai do escritório às 17h25. Isso não é negociável. Mesmo que esteja numa reunião, assim que o relógio marca 17h25 ele se levanta e sai. Nem precisa pensar. Hoje em dia, todos com quem ele trabalha sabem que sua intenção não é ser rude. Ele simplesmente respeita o próprio limite superior.

Sejam "quilômetros por dia", "palavras por dia" ou "horas por dia", há poucas maneiras melhores de obter um ritmo sem esforço do que estabelecer um limite superior.

A faixa ideal

Todos queremos atingir nossas metas – terminar o manuscrito do livro, correr 5 quilômetros, lançar o produto – o mais depressa possível. Portanto, faz sentido preferirmos os dias em que fazemos mais progresso àqueles em que rendemos menos. Afinal, poucas coisas na vida são tão compensadoras quanto o sentimento de realização. Mas, em nosso excesso de entusiasmo para concluir as coisas, cometemos o erro de pensar que todo progresso é igual. Não é.

Uma de nossas filhas aprendeu isso do jeito mais difícil quando a deixamos responsável por cuidar das galinhas (pois é, temos galinhas). Isso incluía recolher os ovos, alimentá-las e repor a água. Nós a incentivamos a fazer isso todos os dias, mas ela raciocinou que pular a tarefa por alguns dias e depois fazer mais de três em três dias seria a mesma coisa. Afinal de contas, argumentou, ela poderia recolher três vezes mais ovos e deixar três vezes mais comida e água de uma vez. Mas aí o tempo mudou de forma inesperada: fez muito calor. Ou seja, as galinhas beberam mais água que de costume e a água restante evaporou mais depressa que o normal. Nossa filha estava arrasada quando nos informou que uma das galinhas tinha morrido desidratada.

Muita coisa na vida está fora de nosso controle. O clima está fora de nosso controle. Incêndios florestais, furacões e novas cepas de coronavírus estão fora de nosso controle. Nosso filho pega uma gripe, o carro quebra, um amigo passa por necessidades e precisa de conselhos... Como manter um ritmo constante se um número aleatório de crises inesperadas pode surgir e bagunçar nosso planejamento?

Desde o fim da Guerra Fria, as Forças Armadas americanas usam a sigla VUCA para descrever nosso ambiente global: *Volatile* (volátil), *Uncertain* (incerto), *Complex* (complexo) e *Ambiguous* (ambíguo).[115] Em resposta a esse novo normal, os militares desenvolveram várias abordagens que podemos aplicar para fazer o que é mais importante em nosso campo de batalha cotidiano.

Uma delas se resume no mantra militar "Devagar é tranquilo. Tranquilo é rápido"[116] – ou seja, quando você avança devagar, tudo é mais tranquilo, e quando as coisas são tranquilas, você pode avançar mais depressa. Isso se aplica a conflitos em que é fundamental a capacidade de se deslocar de forma coordenada mantendo-se atento a possíveis ameaças de todas as direções, muitas vezes portando armas. Se parar ou se se deslocar devagar demais, você se torna um alvo fácil. "Mas, quando se desloca depressa demais, você é cercado e flanqueado", escreve o consultor Joe Indvik.

Ele continua: "Se observarmos com atenção o deslocamento da infantaria de elite, veremos que é algo entre uma caminhada e uma corrida, com passos rápidos mas cuidadosos, com as armas erguidas e examinando ritmicamente o campo de batalha em todas as direções."

Joe diz que a infantaria menos experiente "geralmente sairá correndo com entusiasmo para o combate e dará a impressão de ímpeto." O problema disso é que, assim que estiverem em perigo, os soldados terão que correr para se abrigar na primeira oportunidade e podem acabar num lugar que não tiveram tempo de examinar nem avaliar. "Esse ciclo de dar uma arrancada e depois se recuperar parece rápido na hora, mas o avanço a longo prazo pelo terreno é lento e atrapalhado por ameaças não identificadas."

Quando você vai devagar, tudo é mais tranquilo. Você tem tempo de observar, planejar, coordenar esforços. Mas, se for devagar *demais*, poderá empacar ou perder o ímpeto. Isso é válido tanto no campo de batalha quanto na vida pessoal e profissional. Para progredir apesar da complexidade e da incerteza que enfrentamos diariamente, precisamos determinar a faixa ideal de progresso e ficar dentro dela.

Mesmo quando queremos fazer um progresso firme e constante num projeto prioritário, acontecem coisas para atrapalhar nossos planos. Planejamos passar a manhã toda à mesa de trabalho, mas de repente nos vemos presos em reuniões seguidas longe dali. Reservamos horas na agenda para um trabalho importante e de repente estamos lidando com uma crise de choro do filho pequeno. Então, para compensar o que julgamos ser uma perda de produtividade, trabalhamos o fim de semana inteiro, numa corrida louca para avançar. Sabemos que isso tem um custo: trabalho de baixa qualidade, aumento da culpa e redução da confiança.

Há uma alternativa mais fácil. Podemos estabelecer limites superiores e inferiores. Basta usar a seguinte regra: nunca menos do que X, nunca mais do que Y.

Projeto essencial	Limite inferior	Limite superior
Ler *Os miseráveis* em seis meses.	Nunca menos do que cinco páginas por dia.	Nunca mais do que 20 páginas por dia.
Cumprir a meta de vendas do mês.	Nunca telefonar para menos do que cinco clientes por dia.	Nunca telefonar para mais do que 10 clientes por dia.
Ligar para minha família toda semana durante um mês.	Nunca conversar por menos do que cinco minutos.	Nunca conversar por mais do que uma hora.
Terminar um curso on-line.	Nunca entrar na página do curso menos do que uma vez por dia.	Nunca passar mais do que 50 minutos fazendo um teste por dia.
Terminar o primeiro rascunho do livro.	Nunca menos do que 500 palavras por dia.	Nunca mais do que mil palavras por dia.

Encontrar a faixa ideal nos mantém avançando em um ritmo firme para que o progresso seja constante. O limite inferior deve ser alto a ponto de nos manter motivados e baixo a ponto de ainda conseguirmos atingi-lo mesmo nos dias em que lidamos com o caos inesperado. O limite superior deve ser alto a ponto de constituir um bom progresso, mas não tão alto que nos deixe exaustos. Assim que entramos no ritmo, o progresso começa a fluir. Somos capazes de realizar a Ação Sem Esforço.

Um resumo sem esforço

Primeira Parte Estado Sem Esforço

O que é o Estado Sem Esforço?	O Estado Sem Esforço é uma experiência que muitos já tivemos quando estávamos fisicamente descansados, emocionalmente aliviados e mentalmente energizados. Ficamos cem por cento conscientes, alertas, presentes, atentos e focados no que é essencial naquele momento. Somos capazes de nos concentrar com facilidade no que mais importa.
INVERTER	Em vez de perguntar "Por que isso é tão difícil?", inverta o raciocínio: "E se isso pudesse ser fácil?"
	Questione a premissa de que o jeito "certo" é sempre o mais difícil.
	Torne possível o impossível procurando uma abordagem indireta.
	Quando estiver diante de um trabalho que parece esmagador, pergunte: "De que modo estou tornando isso mais difícil do que o necessário?"
DESFRUTAR	Combine as atividades mais essenciais com as mais agradáveis.
	Aceite que trabalho e diversão podem coexistir.
	Transforme tarefas maçantes em rituais cheios de significado.
	Permita que riso e diversão iluminem o seu dia a dia.
LIBERTAR-SE	Abandone os fardos emocionais que não precisa continuar carregando.
	Lembre-se: quando se concentra no que lhe falta, você perde o que tem. Quando se concentra no que tem, consegue o que lhe falta.
	Use esta fórmula do hábito: "Toda vez que reclamar, mencionarei algo pelo qual sou grato."
	Libere o rancor de seus deveres perguntando: "Para que função contratei esse rancor?"

DESCANSAR	Descubra a arte de não fazer nada.
	Não faça hoje mais do que conseguiria se recuperar completamente ainda hoje.
	Decomponha o trabalho essencial em três sessões de, no máximo, 90 minutos cada.
	Tire um cochilo sem esforço.
OBSERVAR	Atinja um estado de consciência aguçada utilizando o poder da presença.
	Treine o cérebro para se concentrar no que é importante e ignorar o que é irrelevante.
	Para enxergar os outros com mais clareza, deixe de lado suas opiniões, conselhos e julgamentos e ponha a verdade deles acima da sua.
	Arrume a bagunça do ambiente físico antes de arrumar a bagunça da mente.

Segunda Parte Ação Sem Esforço

O que é a Ação Sem Esforço?	Ação Sem Esforço significa realizar mais se desgastando menos. Você para de procrastinar e dá o primeiro passo óbvio. Alcança a linha de chegada sem pensar demais o tempo todo. Progride estabelecendo um ritmo e não avançando à força. Obtém um resultado acima da média sem um esforço extenuante.
DEFINIR	Para iniciar um projeto essencial, defina primeiro que aspecto ele deve ter quando estiver finalizado.
	Estabeleça condições claras para a conclusão, chegue lá e pare.
	Reserve 60 segundos para se concentrar no resultado desejado.
	Faça uma lista "Pronto por Hoje". Limite-a a itens que constituiriam um progresso significativo.

COMEÇAR	Concentre-se na primeira ação óbvia.
	Decomponha a primeira ação óbvia em passos menores e mais concretos.
	Obtenha o máximo de aprendizado com a ação mínima viável.
	Comece com uma microexplosão de 10 minutos de atividade focada para promover energia e motivação.
SIMPLIFICAR	Para simplificar o processo, não simplifique os passos: simplesmente os remova.
	Reconheça que nem tudo exige um esforço a mais.
	Maximize os passos não dados.
	Meça o progresso pelo menor dos incrementos.
PROGREDIR	Ao iniciar um projeto, comece com algo ainda tosco.
	Adote a abordagem do "rascunho zero" e ponha algumas palavras, quaisquer palavras, no papel.
	Barateie o fracasso: cometa erros de aprendizado.
	Proteja seu progresso das críticas duras da sua cabeça.
ESTABELECER UM RITMO	Dite um ritmo sem esforço: devagar é tranquilo, tranquilo é rápido.
	Rejeite a falsa economia de forçar seus limites.
	Encontre uma faixa ideal. *Nunca farei menos do que X, nunca farei mais do que Y.*
	Reconheça que nem todo progresso é criado igual.

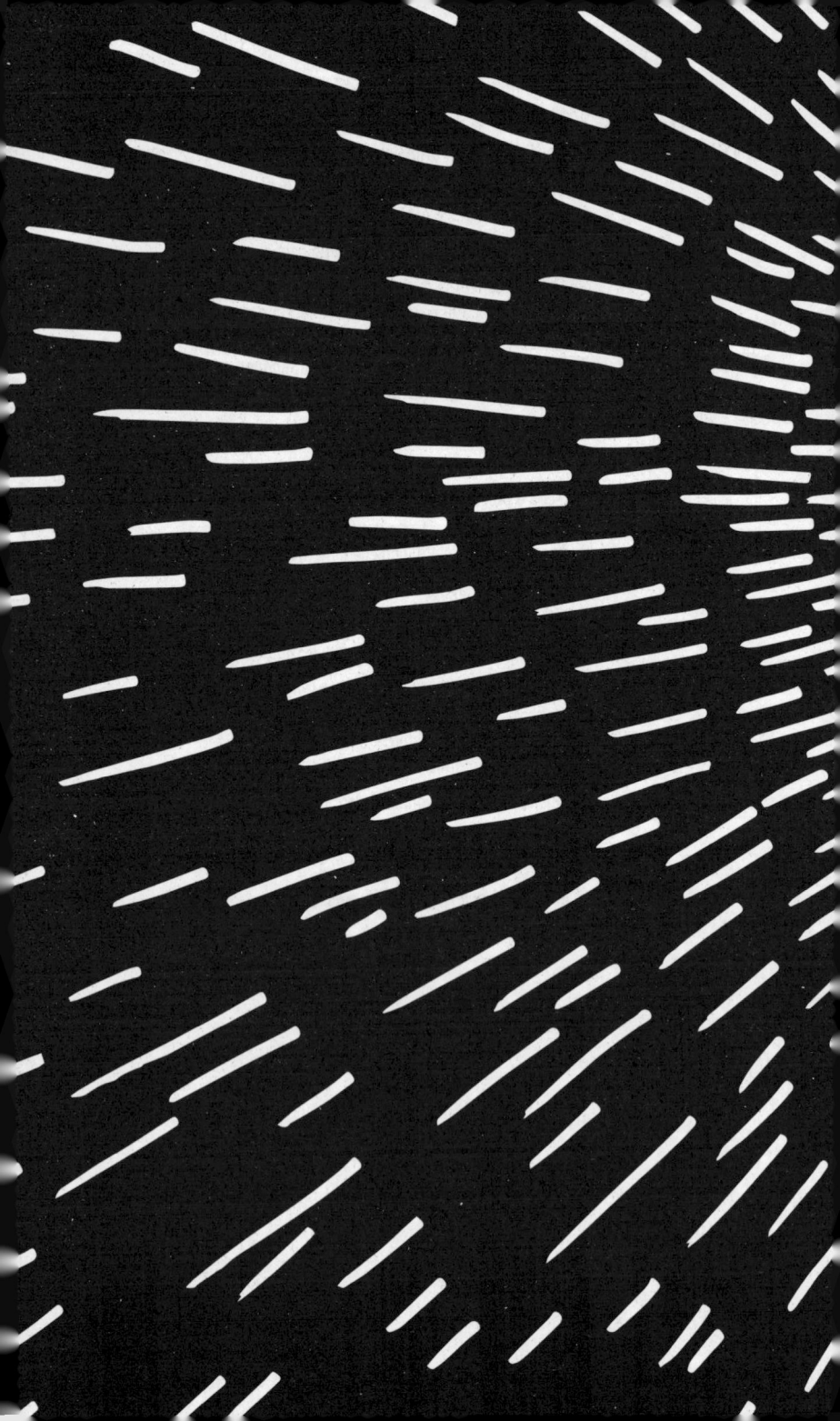

resultados sem esforço

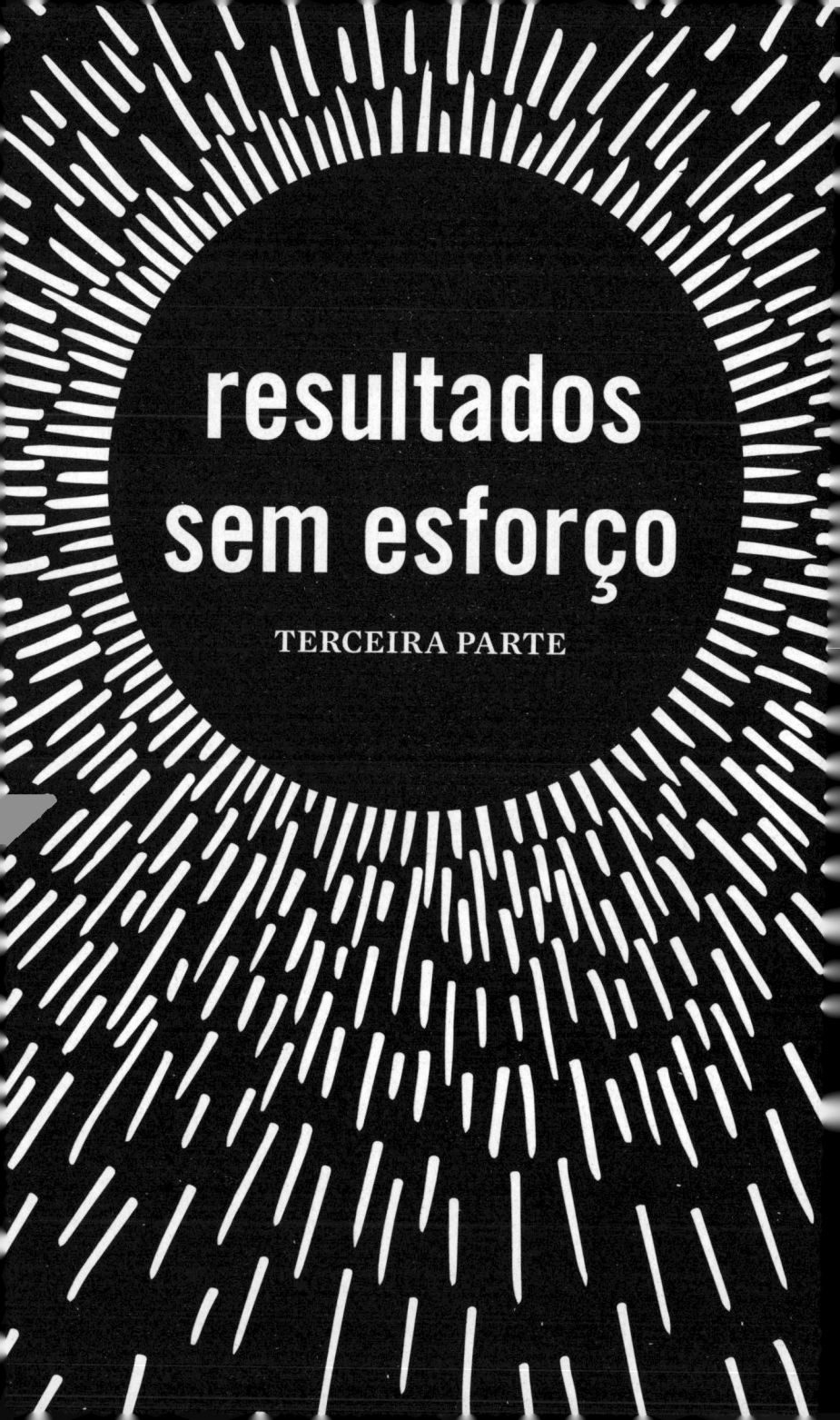

TERCEIRA PARTE

Steve Nash ainda detém o recorde da NBA do percentual de acertos em lances livres na carreira.[117] Quando se aposentou, seu recorde era de 90,43%. A média dos jogadores de elite fica entre 70% e 75%.

Como ele fazia isso? Um repórter que entrevistou Nash vários anos depois da aposentadoria descreveu seu processo da seguinte maneira:

> Observá-lo arremessar é como observar um autômato incrivelmente sofisticado em ação; seu corpo se move com uma exatidão que lembra mais as engrenagens de um relógio do que um ser humano falível. Em certo momento da tarde que passamos juntos, ele acertava o alvo com tanta precisão que não precisava mais se mover para recuperar a bola; em vez disso, repetidas vezes, ela descia pelo aro de tal maneira que o balanço da rede a fazia vir quicando de volta até ele, como que atraída por uma força magnética.

É isso que significa obter *Resultados Sem Esforço*: a meta não deve ser obter um resultado uma vez por meio de um esforço intenso, mas obter um resultado sem esforço várias e várias vezes.

Sempre que sua entrada (ou sua contribuição) cria uma única saída (ou um único produto), você obtém um resultado linear. A cada novo dia você parte do zero. Se não investir esforço hoje, não terá o resultado hoje. É uma razão de 1 para 1: a quantidade de esforço investido é igual ao resultado recebido. O resultado linear existe em todas as áreas de atuação. Por exemplo:

- O funcionário que trabalha uma hora e recebe por essa hora tem uma renda linear.
- O estudante que só estuda na véspera da prova, decora alguns fatos e tira uma nota está adquirindo conhecimento linear.
- A pessoa que decide se exercitar por uma hora hoje mas amanhã tem que decidir novamente se vai se exercitar tomou uma decisão linear.
- A empresária que só ganha dinheiro quando trabalha ativamente para que o negócio aconteça tem um modelo de negócio linear.
- O voluntário que serve a uma causa uma vez e exerce impacto uma vez deu uma contribuição linear.
- A pessoa que realiza um grande esforço para "se obrigar" a fazer alguma coisa hoje executa uma ação linear.
- O pai que tem que lembrar os filhos de cumprir a mesma tarefa todo dia pratica a paternidade linear.

O resultado linear é limitado, nunca excede a quantidade de esforço investida. O que muita gente não percebe é que existe uma alternativa muito melhor.

O resultado residual é completamente diferente. Com ele, você investe o esforço uma vez e recebe os benefícios várias vezes. Os frutos continuam sendo colhidos, quer você invista esforço adicional ou não. Os resultados chegam enquanto você dorme ou quando tira um dia de folga. E podem ser praticamente infinitos. Por exemplo:

- O escritor que publica um livro e recebe royalties durante anos tem uma renda residual.
- O estudante que aprende os princípios básicos e consegue aplicar esse entendimento de várias maneiras no decorrer do tempo está adquirindo conhecimento residual.
- A pessoa que toma uma única decisão de se exercitar todo dia tomou uma decisão residual.
- A empresária que monta sua empresa de modo a funcionar mesmo quando ela tira seis meses de férias tem um modelo de negócio residual.
- O empreendedor social que oferece microempréstimos que, ao serem pagos, voltam a ser emprestados várias e várias vezes dá uma contribuição residual.
- A pessoa que faz algo todo dia, por hábito, sem pensar e sem esforço, se beneficia da ação residual.
- A mãe que delega uma tarefa ao filho e a torna divertida para que aconteça todo dia sem precisar insistir pratica a maternidade residual.

Acha que estou exagerando? A ideia de obter resultados contínuos soa improvável quando se está acostumado a realizar *uma* ação e obter *um* resultado. Mas há ferramentas que podemos usar para transformar nosso esforço modesto em Resultados Sem Esforço várias e várias vezes.

O resultado residual funciona como os juros compostos. Benjamin Franklin resumiu muito bem a ideia de juros compostos quando disse: "Dinheiro faz dinheiro. E o dinheiro que o dinheiro faz, faz dinheiro."[118] Em outras palavras, quando geramos juros compostos criamos riqueza sem esforço.

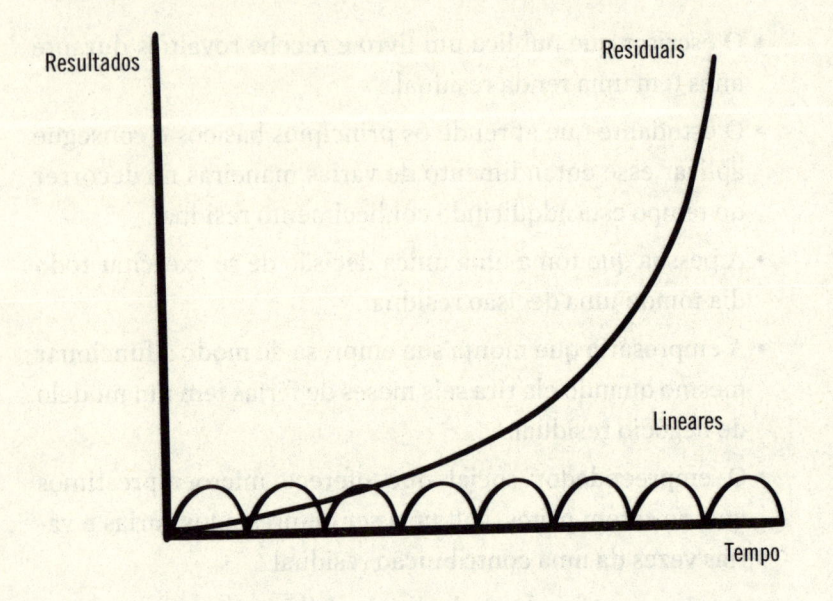

Resultados / **Residuais** / **Lineares** / **Tempo**

Esse princípio pode ser aplicado a muitas outras atividades.

Resultados compostos na prática

Minha amiga Jessica Jackley[119] estava prestando serviço voluntário na África Oriental quando conheceu uma vendedora de peixes chamada Katherine.

Havia uma grande demanda de pescado na aldeia de Katherine. Todo dia ela comprava meia dúzia de peixes de um intermediário e os revendia numa barraquinha à beira da estrada. Mas, com sete filhos para alimentar, ela queria comprar diretamente do pescador e ter mais lucro. Para isso, precisaria viajar mais de 100 quilômetros, mas não podia pagar a passagem de ônibus nem perder todo aquele tempo no mercado. Ela precisaria de um financiamento de 500 dólares.

Aldeões como Katherine, além de uma palestra recente de Muhammad Yunus sobre o Grameen Bank, inspiraram Jessica a fundar, com outros sócios, um empreendimento social chamado Kiva.

A Kiva é uma plataforma de *crowdsourcing* (contribuição colaborativa) que possibilita a qualquer um emprestar qualquer quantia a empreendedores de países em desenvolvimento. Mas o retorno não para aí. Quando o empréstimo é quitado – e mais de 98% deles são quitados –, retorna sob a forma de crédito Kiva, que permite ao mutuante reemprestar o capital a outro empreendedor. Esse ciclo pode continuar indefinidamente. Seu investimento único se torna um fundo perpétuo que apoia cada vez mais empreendedores durante anos e até décadas.

Em vez de simplesmente dar a Katherine um único presente de 500 dólares, Jessica construiu uma plataforma que distribuiu mais de 1,3 bilhão de dólares em empréstimos. Essa é a diferença entre os resultados linear e residual.

Esforço sem poder X poder sem esforço

Uma alavanca é uma máquina simples que facilita o trabalho. Ela é formada por uma barra rígida que se apoia num pivô ou ponto de apoio. Quanto maior a distância entre o pivô e o ponto da barra onde a força é exercida, menos força é necessária para mover ou erguer um objeto ou carga. Em outras palavras, a alavanca multiplica o impacto do esforço que fazemos. Sempre que você brincou numa gangorra, usou um abridor de garrafas, um pé-de-cabra ou remou num barco, você usou alavancas.

O matemático e engenheiro mecânico grego Arquimedes é considerado o primeiro a ter descoberto o princípio da alavanca.[120] Ele teria afirmado que, com uma alavanca do comprimento certo e tendo o lugar certo para apoiá-la, conseguiria mover o mundo. Sou fascinado pela aplicação do princípio da alavanca em outras áreas. Eis alguns (de muitos) exemplos:

Alavanca	Contribuição modesta, resultado residual
Aprendizado	A capacidade pessoal aumenta com o tempo.
	Você desenvolve sua reputação uma vez e as oportunidades batem à sua porta durante anos.
	Você compreende profundamente princípios básicos e depois pode aplicá-los com facilidade várias vezes.
	Você cria um hábito uma vez e ele vai servi-lo a vida inteira.
Ensino	Compartilhar conhecimento é poderoso.
	Ensine os outros a ensinar e você causará um impacto exponencial.
	Redija a história certa uma vez e ela poderá viver milênios.
	Quanto mais ensinamos, mais aprendemos.
Automação	Automatize algo uma vez e esqueça, porque vai continuar funcionando perpetuamente.
	Escreva uma lista de dicas ou um resumo uma vez e depois use esse esquema todo dia.
	Escreva códigos ou contrate alguém para escrever e depois as mesmas ações serão realizadas milhares de vezes.
	Escreva um livro uma vez e milhões poderão lê-lo séculos depois.

Alavanca	Contribuição modesta, resultado residual
Confiança	Se contratar a pessoa certa uma vez, ela produzirá resultados centenas de vezes.
	Quando se reduz o atrito com antecedência numa equipe ou entre equipes, a colaboração flui tranquilamente em projetos e mais projetos.
	Quando se constrói uma equipe unida em que todos sabem quem faz o quê, fica mais fácil manter o alinhamento em relação a papéis, responsabilidades, regulamentos, recompensas e resultados desejados.
Prevenção	Resolver o problema antes que aconteça poupa tempo e evita aborrecimentos intermináveis mais tarde.
	Ataque o problema pela raiz e você impedirá que ele ressurja várias vezes.
	Prevenir uma crise agora é sempre mais fácil do que administrá-la no futuro.

É claro que também pode haver reveses nas alavancas. Dependendo da alavanca usada, um volume igualmente modesto de esforço também pode produzir resultados residuais espantosamente ruins. Uma má reputação pode lhe custar oportunidades durante anos. Um mau hábito pode comprometer sua saúde por décadas. Contrate a pessoa errada e ela afetará sua empresa negativamente de mil maneiras. Escreva um código ruim e os usuários vão se frustrar várias vezes. O sentido em que a força vai fluir está em nossas mãos.

Há duas maneiras de abordar a realização de tarefas: o jeito difícil é com esforço e sem poder; o jeito fácil é com poder e sem esforço. As alavancas nos dão poder sem esforço. Os próximos capítulos mostrarão como usar essa ferramenta poderosa para produzir o resultado certo.

CAPÍTULO 11

APRENDER
Explore ao máximo o que os outros sabem

O ano de 1642 começou com a morte de Galileu Galilei,[121] pai da ciência moderna. Terminou com o nascimento prematuro de Isaac Newton, no dia de Natal. Pesando apenas 1,5 quilo, Newton superou a expectativa de vida de poucos dias, cresceu e se desenvolveu. Estudou na Trinity College, em Cambridge, e escreveu a obra que se tornou conhecida como *Philosophiae Naturalis Principia Mathematica*. Entre outras contribuições, esse extraordinário documento codificou as três leis do movimento, assim como a lei da gravitação universal – princípios que formam a base de todo o campo da física.

Esses princípios explicam como os objetos físicos se movem pelo mundo, descrevem o movimento dos planetas no Sistema Solar e foram fundamentais para alimentar a revolução científica e as revoluções industriais que se seguiram. Não é exagero dizer que mudaram o mundo. Sem eles, não teríamos construído o automóvel, inventado o avião a jato nem pisado na Lua.

É claro que o texto de Newton não dava instruções passo a

passo para construir um motor de automóvel, um avião a jato nem uma espaçonave. Ele oferecia algo muito mais valioso: um conjunto de *princípios* que, mais tarde, puderam ser aplicados à engenharia automotiva, à aeronáutica, às viagens espaciais e muito mais.

Conforme nossa vida fica cada vez mais sobrecarregada e acelerada, é tentador buscar instruções fáceis ou métodos que possam ser aplicados imediatamente a um problema sem exigir muita energia mental. Mas isso é um erro, sabe por quê? Um método pode ser útil uma vez para resolver um tipo específico de problema. Os princípios, no entanto, podem ser aplicados ampla e repetidamente – e os melhores deles são universais e atemporais.

Em outras palavras, métodos específicos só produzem resultado linear. Se estamos atrás de resultado residual, devemos nos voltar para os princípios. Aliás, a palavra *principia* significa "princípios básicos, inícios ou elementos fundamentais".[122] Os princípios básicos são como tijolos de conhecimento: depois de entendê-los, é possível aplicá-los centenas de vezes.

Harrington Emerson, o engenheiro americano da eficiência conhecido por suas contribuições pioneiras ao campo da administração, disse: "Pode haver um milhão de métodos, mas os princípios são poucos. Quem compreende os princípios pode escolher com sucesso seus próprios métodos. Quem experimenta métodos ignorando os princípios com certeza terá problemas."[123]

Busque princípios

Nem todo conhecimento tem valor duradouro.

Alguns conhecimentos só são úteis uma vez. Por exemplo, você decora um fato para uma prova e o esquece no dia seguinte. Passa os olhos por uma reportagem interessante no celular, mas uma hora depois o cérebro não reteve nenhum detalhe. Seu filho adolescente lhe explica como fazer algo no computador, mas, quando você tenta fazer sozinho, as instruções não fazem mais sentido.

Outros conhecimentos são úteis inúmeras vezes. Quando você entende *por que* algo aconteceu ou *como* uma coisa funciona, pode aplicar esse conhecimento repetidamente. Por exemplo:

- O estudante que aprende os princípios fundamentais de qualquer matéria pode aplicar facilmente esse entendimento de várias maneiras com o passar do tempo.
- O empreendedor que descobre o que seus clientes realmente querem pode aplicar esse conhecimento a qualquer número de produtos e serviços variados.
- O gestor que aprende a unir sua equipe pode aplicar essa abordagem a muitas equipes futuras.
- A pessoa que entende como tomar uma decisão pode tomar boas decisões para sempre.

Aprender a coisa certa uma vez é um ótimo negócio. Um único investimento de energia gera Resultados Sem Esforço várias e várias vezes ao longo do tempo.

Encontre pontos em comum

O editor de livros Peter Kaufman[124] queria entender "como tudo no mundo funciona". Normalmente, uma meta tão ambiciosa seria avassaladora e até risível. A maioria das pessoas desistiria dessa busca antes mesmo de começar. Mas ele encontrou um atalho. Num período de seis meses, leu a entrevista condensada ao final de todos os exemplares da revista *Discover* já publicados na internet: 144 entrevistas no total. Cada uma delas era um resumo de alta qualidade de algum aspecto da ciência escrito para o público leigo, com exemplos claros, histórias envolventes e linguagem concisa.

Logo ele descobriu que podia separar tudo o que estava aprendendo em três recipientes de dados. O Recipiente 1 era o maior e mais antigo conjunto de dados: o universo inorgânico. Compreendia a física e a geologia, cobrindo mais de 13 bilhões de anos, desde a aurora do universo. O Recipiente 2 era a biologia, tudo o que vive no planeta Terra. Isso cobria cerca de 3 bilhões de anos. O Recipiente 3 era toda a história humana: o período relativamente curto em que estamos por aqui como espécie.

Depois, ele procurou pontos em comum: princípios que pudessem explicar como as coisas funcionavam de forma coerente nos três recipientes.

No Recipiente 1, ele achou a Terceira Lei do Movimento de Newton: para cada ação há uma reação igual e contrária. Em outras palavras, quanto mais força você exerce sobre alguma coisa, mais força essa coisa exerce de volta. No Recipiente 2, ele encontrou o exemplo de Mark Twain do que acontece quando se pega um gato pelo rabo: ele ataca. No Recipiente 3, achou algo parecido: o modo como tratamos os outros é o modo como eles nos tratarão.

O ponto em comum era um princípio que ele apelidou de "reciprocidade espelhada" ou, em termos mais simples, "Você recebe aquilo que dá". Agora, pense em todas as aplicações possíveis desse princípio. Envie um bilhete de agradecimento e receberá outro de volta. Sorria sinceramente para alguém e a pessoa sorrirá de volta para você. Dê informações a alguém numa conversa e a pessoa ficará inclinada a lhe passar informações em troca.

Numa experiência que investigava o princípio da reciprocidade espelhada, um pesquisador enviou cartões de Natal escritos à mão a quase 600 desconhecidos.[125] Cada cartão incluía um bilhete e uma foto de sua família. Não demorou para esses desconhecidos começarem a lhe enviar respostas. No total, ele recebeu quase 200 cartões em retribuição.

Os princípios universais não se aplicam só à ciência. Na verdade, eles podem oferecer atalhos mentais igualmente úteis para entender as pessoas.

Logo que me casei, decidi surpreender minha esposa buscando uma pizza mista de carnes e frios que eu sabia que ela gostava. Tarde da noite, quando chegou, ela ficou felicíssima, como eu esperava.

Então, na noite seguinte repeti o exercício com entusiasmo e a surpreendi, mais uma vez, com a pizza mista.

Ela foi tão gentil que só quando a "surpreendi" na terceira noite seguida foi que ela disse: "Ah, pizza mista *de novo*?"

Claramente, o método que usei com tanto sucesso na primeira noite só podia ser aplicado poucas vezes. Nesse caso, uma única vez!

Mas e se, em vez de repetir o método, eu buscasse um *princípio* que captasse quem minha esposa realmente era? O que ela valorizava de verdade, o que sempre a encantava (por mais de três noites seguidas). É preciso um investimento prévio maior para alcançar essa profundidade de visão. No entanto, depois que a tiver, você poderá aplicá-la várias vezes.

Cultive uma árvore de conhecimentos

Muita gente supõe que Elon Musk, fundador da Tesla e da SpaceX, tem formação em engenharia mecânica e ciência espacial. Mas a verdade é que ele não sabia muito sobre esses temas quando começou seus empreendimentos.

Certa vez lhe perguntaram como ele havia se inteirado tão depressa de disciplinas inteiras, novas e complexas: "Sei que leu muitos livros e contrata muita gente inteligente para absorver o que eles sabem, mas é preciso admitir que, ao que parece, você deu um jeito de acumular na cabeça mais conhecimento do que qualquer pessoa viva. Como você é tão bom nisso?"

Ele respondeu: "É importante ver o conhecimento como um tipo de árvore semântica. Faça questão de entender os princípios fundamentais, isto é, o tronco e os galhos grandes, antes de chegar às folhas/detalhes, ou elas não terão onde se pendurar."[126]

Em outras palavras, quando temos fundamentos sólidos de conhecimento, há onde pendurar as informações adicionais que aprendemos. Podemos ancorá-las nos modelos mentais que já compreendemos.

A abordagem de Musk é confirmada pela ciência do aprendizado. A neuroplasticidade é a capacidade do cérebro de mudar, tanto no nível dos neurônios individuais quanto no nível muito complexo de aprender uma nova habilidade, como construir um foguete.[127] Aprender algo novo costuma envolver uma série de tentativas, fracassos e ajustes. As conexões neurais que resultam em sucesso se reforçam e ficam mais fortes. Como a árvore que consegue suportar o crescimento de novos galhos conforme vai ficando mais grossa e mais forte, nosso cérebro pode agora criar conexões, incorporando aquelas informações novas à base de conhecimento existente. Enquanto isso, as conexões improdutivas acabam ficando mais fracas e, como galhos mortos, caem.

Foi assim que a busca de Musk pelos fundamentos, os princípios básicos, lhe permitiu revolucionar o setor de energia, lançar satélites de banda larga no espaço, projetar o sistema *hyperloop* de viagens de alta velocidade, desenvolver uma bateria solar mais eficiente e criar uma missão para explorar Marte. Ele é a prova viva de que, ao compreender as coisas em seu nível mais fundamental, podemos aplicá-las de um jeito novo e surpreendente.

Extraia o melhor daquilo que os outros já descobriram

Como vice-presidente da Berkshire Hathaway, Charlie Munger, de 96 anos, é o braço direito de Warren Buffett. Mas também é, por mérito próprio, uma lenda dos investimentos. Nas décadas de 1960 e 1970, Munger dirigia uma empresa que gerava um retorno de mais de 24% ao ano.[128] Se você investisse 100 dólares em ações da Berkshire no dia em que Munger entrou na diretoria, hoje teria 1,8 milhão de dólares.

A maioria dos investidores profissionais se torna especialista em mercados financeiros. Eles estudam as forças econômicas que alimentam booms e bolhas. Aprendem tudo o que há para saber sobre rendimento de títulos, macroeconomia e ações de *small caps*. Mas Charlie Munger adota uma forma de aprendizado diferente.

O ensaio "O ouriço e a raposa", de 1953, escrito por Isaiah Berlin,[129] reviveu a frase do antigo poeta greto Arquíloco: "A raposa sabe muitas coisas, mas o ouriço sabe uma coisa importante." Jim Collins claramente favoreceu a abordagem do ouriço para ter sucesso no mundo dos negócios e argumentava que as raposas perdem o foco e desperdiçam energia.[130] Mas a comparação de Arquíloco sempre pretendeu indicar que a raposa teria melhores resultados se, além de simplesmente saber muitas coisas, ela soubesse conectá-las entre si. Munger é uma raposa que conecta muitas coisas.

Na vida e nos investimentos, Munger adota a busca do que chama de "sabedoria mundana".[131] Ele acredita que, ao combinar ensinamentos de várias disciplinas – psicologia, história, matemática, física, filosofia, biologia e outras –, produzimos algo maior que a soma das partes. Munger considera inúteis os fatos isolados a menos que "se encaixem numa estrutura teórica".

Ideias isoladas representam conhecimento linear. Mas essas mesmas ideias formam conhecimento residual quando interconectadas. Tren Griffin, autor de uma biografia de Munger, dá o seguinte exemplo: uma empresa aumenta o preço de seu produto e ainda assim vende mais desse produto. Isso não faz sentido quando se consideram apenas a disciplina da economia e sua regra da oferta e da procura. Mas, se também for levada em conta a disciplina da psicologia, você vai entender que os consumidores acham que o preço mais alto significa mais qualidade e por isso compram mais.

Muitas vezes, o conhecimento mais útil vem de campos que não são o nosso. Como constataram os pesquisadores da Faculdade Kellogg de Administração da Universidade Northwestern depois de analisar quase 18 milhões de artigos científicos, geralmente as melhores ideias novas surgem da combinação de conhecimento existente num campo com uma "invasão de combinações incomuns" de outras disciplinas.[132] É por isso que Munger é sábio quando "acredita na disciplina de extrair o melhor daquilo que outras pessoas já descobriram". Ele explica: "Não acredito em só me sentar e tentar sonhar tudo sozinho. Ninguém é tão inteligente assim."

A troca de ideias entre disciplinas gera novidade. E transformar o convencional em algo novo é muitas vezes o segredo da criatividade sem esforço – não só na ciência como em áreas que vão dos investimentos à música e ao cinema.

Antes que se tornassem nomes conhecidos, famosos por sucessos de Hollywood como *Fargo*, o primeiro campeão de bilheteria dos diretores Joel e Ethan Coen foi o filme de mistério neo-noir *Gosto de sangue*, de 1984.[133] Mas, quando leram o roteiro pela primeira vez, os irmãos ficaram preocupados com o fato de seguir o padrão convencional da solução de crimes. Então eles pegaram uma tesoura e recortaram cada parágrafo das páginas do roteiro. Puseram os pedaços de papel num saco, sacudiram o saco e jogaram os papéis no ar. Em seguida, pegaram os pedaços no chão, juntaram de volta aleatoriamente e reescreveram o roteiro com base nisso. *Gosto de sangue* ficou famoso pelo clima neo-noir convencional intensificado por viradas imprevisíveis raras no gênero. O professor Brian Uzzi, da Northwestern, chama isso de pegar a "novidade extrema" e encaixá-la na "convencionalidade profunda".

Como extrair o máximo da leitura

Ler um livro está entre as atividades com mais alavancagem da face da Terra. Com um investimento mais ou menos equivalente à duração de um único dia de trabalho (e algum dinheiro), você obtém acesso ao conhecimento que as pessoas mais inteligentes já descobriram. Ler, ou melhor, ler para realmente entender, traz resultados residuais sob qualquer ponto de vista.

Infelizmente, pouca gente tira vantagem disso. Em média, os americanos leem apenas quatro livros por ano. Mais de um quarto dos americanos não lê nenhum livro. E essa tendência vem piorando.[134]

Ler um livro está entre as atividades com mais alavancagem da face da Terra.

Para extrair o máximo da sua leitura, recomendo observar os seguintes princípios:

- **Use o efeito Lindy.** Essa lei afirma que a expectativa de vida de um livro é proporcional à idade atual dele – ou seja, quanto mais antigo o livro, maior a probabilidade de continuar relevante no futuro.[135] Portanto, priorize a leitura de livros que duraram muito tempo. Em outras palavras, leia os clássicos e os antigos.
- **Leia para absorver (e não para ticar o título em uma lista).** Há livros que li inteiros mas não sei lhe dizer nada sobre eles. Por outro lado, posso não ter lido alguns livros do começo ao fim, mas retornei com tanta frequência a determinados trechos ou capítulos que eles passaram a fazer parte de mim. Ler um livro para ganhar o direito de exibi-lo na estante é não entender a verdadeira razão do exercício. No entanto, ficar totalmente absorto num livro muda quem você é, como se você mesmo tivesse vivido a experiência relatada nele.
- **Extraia a essência.** Quando termino de ler um livro, gosto de reservar 10 minutos para resumir o que aprendi com ele numa única página, com minhas próprias palavras. Se você resumir os ensinamentos principais de um livro que acabou de ler, vai absorvê-lo mais profundamente. O processo de resumir, de extrair a essência das ideias, nos ajuda a transformar informações em entendimento e entendimento em conhecimento inigualável.

Saiba o que mais ninguém sabe

Pouco antes das Olimpíadas de 1968, no México, todos imaginavam que o saltador em altura Dick Fosbury ficaria em último lugar.[136] Afinal de contas, ele era um desengonçado estudante de engenharia civil de 21 anos que usava um tênis de cada cor e tinha uma capacidade atlética questionável. A mídia o chamava de "camelo bípede" e descrevia seus saltos como "convulsões". Fosbury foi desdenhado como mera curiosidade.

Desde o segundo ano do ensino médio, Fosbury se esforçava para aprender a técnica de salto em altura dominante na época. Incrivelmente, essa técnica não mudara desde a primeira competição de salto em altura documentada, ocorrida na Escócia no século XIX: os saltadores se aproximavam da barra pela lateral ou pela frente e se lançavam no ar pegando impulso com o pé direito. Leves variações dessa técnica resultaram em aumentos igualmente leves do recorde mundial, que subia devagar, em incrementos minúsculos, com o passar dos anos.

Com a técnica padrão, Fosbury, quando mais novo, não conseguia saltar nem o 1,5 metro necessário para participar das competições de atletismo de sua escola. Alguém apostou com ele que ele não conseguiria saltar uma poltrona. Ele perdeu a aposta e fraturou a mão na queda. Os técnicos insistiram para que Fosbury continuasse tentando, mas quanto mais treinava com esse método sem ver resultado, mais frustrado ele ficava.

Finalmente, Fosbury decidiu tentar outra técnica. Ele sabia que as regras só exigiam que os concorrentes saltassem num pé só na largada, não diziam nada sobre como passar sobre a barra. Assim, ele começou a aplicar seu conhecimento crescente de engenharia na experimentação de outras maneiras de fazer o salto em altura. Uma dessas experiências envolveu se aproximar da barra de costas, a cabeça primeiro, curvar o corpo sobre a barra e, no fim, bater as pernas no ar, fazendo uma parábola.

Os críticos não se impressionaram. Um jornal legendou a foto de Fosbury assim: "O saltador mais preguiçoso do mundo".

Enquanto isso, Fosbury foi aprimorando a técnica nova, que lhe deu mais velocidade. Ele começou a girar o quadril nos últimos passos e decolar com o pé esquerdo, não o direito, de modo que, quando o corpo se arqueasse sobre a barra, ele olhasse para cima, com o centro de gravidade embaixo. Fosbury usou tudo o que sabia sobre física para criar uma vantagem mecânica. E deu certo.

No mundo do salto em altura, há o antes de 20 de outubro de 1968 e o depois. Fosbury ganhou a medalha de ouro naquele dia nas Olimpíadas do México, surpreendendo o público com a técnica que desde então se chama "salto Fosbury". Antes dele, nenhum atleta saltava olhando para o céu. Depois dele, todos os recordistas saltaram assim.

O poder da técnica de Fosbury não está só na base mecânica sólida, mas na singularidade. Ela era tão diferente do que os outros faziam havia décadas que provocou um pico agudo nos recordes mundiais de salto em altura. Quem sabe quanto tempo esse progresso levaria com avanços apenas incrementais da técnica anterior? Fosbury realizou o sonho de todo atleta: transformou seu esporte para sempre.

Ser bom no que ninguém mais faz é melhor do que ser ótimo no que todo mundo faz. E ser especialista no que ninguém mais faz é exponencialmente mais valioso.

Para colher os resultados residuais do conhecimento, o primeiro passo é alavancar o que os outros sabem. Mas o objetivo final é identificar conhecimentos que sejam só seus e avançar a partir deles. Existe algo que pareça difícil para os outros mas que seja fácil para você? Algo que se baseia no que você já sabe, facilitando seu aprendizado e aumentando sua competência continuamente? Essa é uma oportunidade para você criar conhecimento exclusivo.

O conhecimento pode abrir a porta para *uma* oportunidade, mas o conhecimento exclusivo produz oportunidades *perpétuas*.

Você ganha credibilidade. As pessoas o procuram. As oportunidades o procuram. Você obtém uma alavancagem incrível quando está entre as únicas pessoas com aquela competência exata.

Em outras palavras, depois de conquistar a reputação de saber o que ninguém mais sabe, as oportunidades vão bater à sua porta durante anos. Por exemplo:

- O empresário com ótima reputação receberá capital de investidores várias e várias vezes.
- O palestrante com ótima reputação receberá mais convites do que pode aceitar.
- O professor com ótima reputação terá filas de alunos para fazer seu curso, semestre após semestre.
- O advogado com ótima reputação poderá escolher os casos que quer defender.
- O fotojornalista com ótima reputação será contratado para fazer os melhores trabalhos em todo o mundo.

Aconteceu comigo após publicar *Essencialismo*. Escrevi o livro uma vez, mas ainda hoje recebo mensagens de leitores diariamente.

Conquistar conhecimento exclusivo exige tempo, dedicação e esforço. Mas invista nisso uma vez e você atrairá oportunidades pelo resto da vida.

Capítulo 12

ELEVAR
Aproveite a força da multiplicação

Quando a pandemia de Covid-19 estava nos primeiros estágios nos Estados Unidos, houve escassez de máscaras cirúrgicas para profissionais de saúde. Enquanto a oferta de máscaras produzidas industrialmente continuava a cair, ficou claro que uma solução do tipo "faça você mesmo" era necessária com urgência.

Se você precisasse de uma máscara para si mesmo ou para um parente, provavelmente o caminho mais fácil seria procurar instruções e confeccionar uma você mesmo. Mas e se a demanda fosse de milhões de máscaras em poucas semanas?

Entra em cena o *Project*Protect,[137] uma colaboração entre vários grupos comunitários do estado de Utah. A meta deles era confeccionar 5 milhões de máscaras em cinco semanas, e o método usado foi ensinar as pessoas a costurar máscaras – e tornar fácil que essas pessoas ensinassem a outras.

Os primeiros voluntários aprenderam diretamente. Então o método foi gravado e o vídeo de cinco minutos foi publicado no site do grupo para ensinar exatamente como fazer e convocar mais gente. O *Project*Protect forneceria o material; os voluntarios pegariam a quantidade de kits que conseguissem costurar e devolveriam as máscaras prontas.

Na primeira semana, 10 mil voluntários tinham entregado o primeiro milhão de máscaras. Em cinco semanas, 50 mil voluntários haviam atingido a meta aparentemente impossível de 5 milhões de máscaras. Imagine quanto tempo e esforço seria necessário para uma, 10 ou mesmo 100 pessoas fazerem isso. Foi uma realização espantosa, ainda mais quando se leva em conta que quase nenhum dos voluntários sabia fazer essas máscaras antes disso.

Sempre que quiser causar um impacto de grande alcance, ensinar os outros a ensinar pode ser uma estratégia de grande alavancagem.

Use histórias para transformar seu público em professores

Alguns anos atrás, meu avô morreu, em Nova York. Como eu era o único membro da família que morava nos Estados Unidos, coube a mim ir a seu apartamento e organizar todos os seus pertences. Sabe o que encontrei? Nada.

Havia livros e roupas, alguns quadros e fotos, uma agenda telefônica. Mas sua narrativa de vida, do que realmente lhe importava, se foi com ele. Lembro-me de olhar os nomes na agenda e não saber quem era um amigo de infância e quem era só um conhecido. Nenhum dos nomes significava nada para mim. Mas tiveram significado para ele. De repente, percebi quanta coisa a nosso respeito levamos conosco no final. Sem querer, deixamos apenas pistas mínimas para os que vêm depois.

Eu me surpreendo ao ver como é fácil esquecer as gerações anteriores. A maioria das pessoas não saberia dizer o nome e o sobrenome de seus oito bisavós. Pense nisso por um instante. A língua que falamos, o lugar onde moramos e a história que herdamos são configurados por ancestrais de quem não sabemos sequer o nome. Muito se perde nessas memórias deterioradas – tanto que muita gente, depois de certa idade, se vê tomada de uma curiosidade tão forte que se sente obrigada a ir atrás das pistas disponíveis sobre sua ancestralidade.

Acontece que há um jeito muito mais simples de transmitir nossa história às futuras gerações: contando histórias de família. As histórias são pontes do passado para o presente. Elas dão vida a fatos históricos e expandem nossa noção de eu.

Conheço uma família que se reúne uma vez por ano com o único propósito de manter vivas as gerações anteriores. Eles levam álbuns de fotos e caixas de objetos cheias de lembranças. Contam suas histórias favoritas de ancestrais específicos. Já vêm fazendo isso há 50 anos.

Não há jeito melhor de ensinar que pelo poder das histórias. Uma boa história pode viver milênios. É só pensar nas fábulas de Esopo.

Esopo era um escravo contador de histórias que viveu há mais de 2.500 anos na Grécia Antiga.[138] Para compartilhar suas lições, ele contou histórias memoráveis. Elas eram tão fáceis de lembrar e passar adiante que foram transmitidas de boca em boca por gerações.

Todos adoramos histórias. Elas são fáceis de compreender, recordar e transmitir. E por isso têm o poder de transformar qualquer público numa sala cheia de professores.

Quando você aprende a ensinar, ensina a si mesmo a aprender

Ensinar os outros também é um modo acelerado de aprender. A mera possibilidade de sermos chamados a ensinar aumenta nosso envolvimento em determinado tema. Ficamos mais concentrados. Escutamos para entender. Pensamos na lógica subjacente para podermos repassar as ideias em nossas próprias palavras.

Desde que escrevi *Essencialismo*, fui abençoado com muitas oportunidades de ensinar seus princípios e práticas. E, ao ensinar as ideias, continuo a aprender. Toda vez que ensino a um público como ser essencialista, aprendo algo novo sobre como ser eu mesmo um essencialista melhor. Por exemplo, ao aprender como um essencialista aplicou certas ideias, eu me inspirei para iniciar uma nova prática. Todo dia, quando saio de meu home office, digo em voz alta a hora em que parei de trabalhar: "São cinco horas e um minuto da tarde!" Faço isso para me divertir, mas também para prestar contas a mim mesmo: para viver o que estou ensinando.

Pense em como organizamos melhor na cabeça um caminho que fizemos dezenas de vezes quando precisamos dar essas instruções a alguém – ou em como você acabou absorvendo o enredo de um romance depois que precisou descrevê-lo a alguém.

Simplifique a mensagem

O diretor de marketing de uma grande empresa internacional de softwares com quem trabalhei estava decepcionado. Ele fizera um esforço pessoal grande para pôr toda a empresa em sintonia. Pagara consultorias de gestão para elaborar uma estratégia.

Fizera apresentações sobre a estratégia para os funcionários. Foi consistente na maneira como transmitia essa estratégia aos clientes. Ainda assim, a empresa era uma bagunça. Alguns vendedores explicavam de um jeito, outros explicavam de outro. Cada funcionário tinha sua própria interpretação. Era como se falassem línguas diferentes. Para uma empresa com 100 mil funcionários em 130 países, fazer as pessoas simplesmente entenderem a estratégia – sem falar em implementá-la – estava virando um desafio hercúleo.

Então surgiu uma ideia diferente: simplificar a mensagem num esboço resumido que pudesse ser explicado em 10 minutos. O diretor de marketing ensinou primeiro a um grupo-piloto. Depois, treinou os integrantes do grupo a irem à frente da sala e ensinarem uns aos outros. Em seguida, o diretor orientou que treinassem suas equipes. Esperava-se que, além de aprender qual era a estratégia, todos aprendessem também a ensiná-la. Qualquer um poderia ser solicitado, a qualquer momento, a ficar diante de um grupo e explicá-la.

Em poucas semanas, as incoerências sumiram. Um funcionário do RH da Alemanha conseguiria explicar. Um gerente do departamento financeiro da Califórnia explicaria exatamente da mesma maneira. Isso significava que os clientes estavam recebendo a mesma mensagem. Logo o impacto começou a se multiplicar. O que antes envolvera meses de esforço frustrado se tornou um caminho praticamente sem esforço para o sucesso.

Se tentar ensinar aos outros tudo sobre tudo, você correrá o risco de não lhes ensinar nada. O resultado residual virá mais depressa se você identificar com clareza e, depois, simplificar as mensagens mais importantes que quer ensinar os outros a ensinar.

Essas mensagens precisam ser não só fáceis de entender como também difíceis de serem mal-interpretadas. A. G. Lafley, ex-diretor executivo da Procter & Gamble, chamava isso de "slogans simples ao estilo Vila Sésamo".[139] Não busque a mensagem excessivamente sofisticada. Não busque a mensagem que faça você parecer inteligente. Busque a mensagem direta que possa ser facilmente entendida e repetida.

Faça das coisas mais essenciais as mais fáceis de ensinar e as mais fáceis de aprender.

CAPÍTULO 13

AUTOMATIZAR
Faça uma vez e nunca mais

Quando nossos filhos eram bem pequenos, morávamos ao lado de uma família bem parecida com a nossa. O casal tinha dois filhos pequenos, como nós na época. Transitávamos pelos mesmos círculos sociais e nos víamos todo fim de semana. Até a planta da casa deles era literalmente a imagem espelhada da nossa.

Um dia, o marido me contou que tinha acabado de passar por uma cirurgia no joelho. Aparentemente, tudo correra bem durante o procedimento, mas a recuperação não avançava como esperado. Em vez de diminuir, a dor foi aumentando a cada semana. Finalmente, eles descobriram a razão: a equipe cirúrgica esquecera um pequeno instrumento dentro do joelho dele.

Não seria de esperar esse tipo de erro de profissionais de saúde altamente treinados. Eles eram formados nas melhores faculdades. Tinham muitos anos de experiência. Ainda assim, no meio daquela operação complexa, cometeram um erro por descuido, totalmente evitável.

A explicação é simples: eles confiaram na memória. Por consequência, pularam um passo essencial do processo. É tentador dizer: "Ah, se a equipe médica estivesse *pensando*..." Mas vejo mais como: "Ah, se a equipe médica *não precisasse pensar*..."

Alfred North Whitehead, matemático britânico que virou filósofo americano, disse: "A civilização avança ampliando o número de operações importantes que conseguimos executar sem pensar nelas."[140] Em outras palavras, o maior número possível de passos e atividades essenciais deve ser automatizado.

Listar para não errar

Em 1935, as fábricas de aviões Boeing, Martin e Douglas competiam entre si por um contrato lucrativo para construir bombardeiros de longo alcance. A Boeing estava confiante de que ia ganhar. Seu Modelo 299 era o mais poderoso: tinha quatro motores em vez de dois. Podia levar o quíntuplo do número especificado de bombas e sua autonomia de voo era o dobro da dos antecessores.

Tudo mudou depois do fatídico voo de teste. Com cinco tripulantes, o Modelo 299 ergueu-se graciosamente da pista antes de estolar a 90 metros de altura, embicar de repente e cair. Dois tripulantes morreram, inclusive o piloto de testes, major Ployer P. Hill.

A investigação descobriu que o major Hill, piloto do Corpo Aéreo do Exército dos Estados Unidos com mais de 17 anos de experiência, esquecera de soltar os controles do leme e do profundor. Um erro fatal. Mais instrutiva, porém, foi a descoberta de que Hill estava preocupado com uma infinidade de procedimentos complexos novos na mesma hora em que deveria estar executando essas tarefas essenciais. O Exército concluiu que o Modelo 299, o avião tecnologicamente mais sofisticado de seu tempo, era complicado demais para uma só pessoa pilotar e fechou o contrato com a Douglas.

No entanto, um grupo de pilotos de testes ainda acreditava que o avião da Boeing era superior e daria ao país uma vantagem militar considerável. Só era preciso uma ferramenta que permitisse a um único piloto controlar a avançada tecnologia aeronáutica.

Como o Dr. Atul Gawande, cirurgião e escritor de sucesso, explica em seu livro *Checklist*, o descuido trágico do major Hill resultou da mesmíssima limitação humana que causa erros cirúrgicos evitáveis.[141]

O vasto corpo de conhecimentos que a humanidade adquiriu em tantas disciplinas alimentou um extraordinário progresso científico, tecnológico e humanista. Mas, como explica Gawande, esse progresso tem um lado ruim. O volume e a complexidade estonteantes do saber humano excederam a capacidade dos especialistas de gerenciar tanta informação. E é exatamente por isso que acontecem acidentes trágicos.

Os seres humanos têm uma capacidade imensa de armazenar lembranças.[142] Paul Reber, professor de psicologia da Universidade Northwestern, estima que, se o cérebro fosse um gravador digital de vídeo (DVR), teria memória suficiente para armazenar 3 milhões de horas de programas de TV. Mas a memória RAM para informações que podemos acessar instantaneamente, ou seja, nossa memória operacional, é muito mais limitada. Isso explica, pelo menos em parte, por que pessoas inteligentíssimas ainda esquecem as chaves ou por que médicos com imensa expertise ainda se esquecem de remover um instrumento de dentro do joelho do paciente. Os limites da memória operacional geram erros evitáveis.

A complexidade extrema só aumenta a carga cognitiva e nos deixa muito mais propensos a errar. Portanto, não precisamos de mais conhecimento, mas de novas habilidades e estratégias que nos permitam aplicar esse conhecimento sem sobrecarregar a memória operacional. Ou, como explica Gawande, precisamos de uma estratégia

> que se baseie na experiência e aproveite o conhecimento que as pessoas têm mas, de algum modo, também compense nossas inevitáveis predisposições humanas. E essa estratégia existe, embora pareça quase ridícula em sua simplicidade, talvez até maluca para quem passou anos desenvolvendo meticulosamente habilidades e tecnologias cada vez mais avançadas.

Gawande defende que precisamos de uma ferramenta modesta porém maravilhosa: o checklist, ou lista de verificação.

Depois que os pilotos de testes da Boeing implementaram checklists e voaram muitas e muitas vezes sem incidentes, escreve Gawande, o Corpo Aéreo do Exército encomendou milhares de aviões. Rebatizado de B-17, o Modelo 299 despejou mais bombas que todos os outros aviões americanos na Segunda Guerra Mundial e ajudou a virar o jogo a favor dos Aliados.

A lista de verificação ajudou os pilotos a lembrar cada um dos passos essenciais e usar o mínimo possível de recursos mentais.

Os checklists não são úteis só em tarefas especializadíssimas, como pilotar um avião. Conforme o mundo fica mais complexo, todos precisamos de ferramentas que nos ajudem a lembrar o que é importante.

A beleza do checklist é que o raciocínio foi feito com antecedência. Foi tirado da equação. Ou melhor, foi embutido na equação. Assim, em vez de acertar essas coisas essenciais de vez em quando, acertamos todas as vezes.

Um esquema com dicas e ideias resumidas é uma das ferramentas mais eficazes que temos à disposição para automatizar quase tudo o que realmente importa. O checklist é um esquema desse tipo. Aqui estão outros:

- O funcionário usa um aplicativo de agenda para estabelecer as prioridades do dia.
- O gerente cria uma pauta para a reunião semanal a fim de garantir que abordará os tópicos mais importantes.
- O empresário leva uma apresentação de slides a todas as reuniões de vendas para se lembrar dos principais pontos a tratar.
- O professor dá aos alunos uma lista de fórmulas e macetes para facilitar a memorização da matéria.
- Os pais criam um calendário de tarefas que permite aos filhos lembrar suas tarefas diárias.

É claro que essa só é uma pequena amostra. A ideia dos esquemas ou das listas é simplesmente tirar coisas do cérebro para você fazê-las automaticamente, sem ter que recorrer à memória.

Resultados residuais por 100 anos

Você já se irritou com o processo de decidir aonde ir com a família nas férias? São atrações e opções demais, várias opiniões e agendas para conciliar. O casal Stephen e Irene Richards teve uma boa ideia para contornar isso.[143] Eles decidiram automatizar o processo de escolher um destino e planejar uma nova viagem todo ano: investiram numa pequena casa de campo. Todo verão, seus familiares eram convidados a ficar lá o tempo que desejassem.

Isso se tornou um ritual pelo qual todos esperavam ansiosos e que passou a se autoperpetuar. Todo ano os filhos iam para lá. Depois, os filhos se casaram e tiveram filhos, e os netos também começaram a ir. Os filhos, netos e bisnetos acabaram construindo novas casas de campo na região e, assim, a coisa continuou a se expandir.

Hoje, cinco gerações depois, a família ainda se reúne para jogar, nadar e criar lembranças todo ano. Em qualquer dia de verão, 30 a 40 membros da família estarão lá curtindo a praia do lago.

Tomar decisões é mentalmente exaustivo. Tomar decisões que satisfaçam dezenas de pessoas, cada uma com preferências, restrições e prioridades diferentes, é quase impossível. Aquela única decisão tomada tantos anos atrás eliminou esse fardo para várias gerações da família. Ninguém precisa ter o trabalho de coordenar as folgas de todo mundo e escolher um destino, reservar hotel e planejar atividades para que todos se reúnam. É automático e, comparado a alguns planejamentos de férias familiares que já vi, sem esforço.

Alta tecnologia = baixo esforço

"Admito que era meio descuidado quando comecei a dirigir",[144] disse, envergonhado, Joshua Browder, então com 18 anos, quando lhe perguntaram sobre as 10 multas que acumulou em seu primeiro ano ao volante. Mas, na opinião dele, a maior parte das infrações ou não merecia multa ou resultava de erros dos guardas de trânsito do Reino Unido.

Browder decidiu recorrer das multas. Acontece que o tribunal concordou com suas reivindicações e ele começou a ganhar os recursos. Pouco depois, ele ajudava quase todo mundo que conhecia a contestar multas injustas. O processo de recurso era relativamente padronizado: uma simples carta-modelo era o bastante para evitar uma multa injusta. Mas, embora navegar pela burocracia fosse simples para ele, o rapaz notou que era diferente para idosos e pessoas vulneráveis ou com deficiência de sua comunidade. Isso lhe deu uma ideia para fazer o bem. Browder, então ainda aluno de Stanford, levou apenas 15 dias para criar o DoNotPay, um site (e, mais tarde, um aplicativo) apelidado de "primeiro advogado-robô do mundo", que automatizava o processo de recurso.

Com base no sucesso do conceito, logo Browder acrescentou um serviço que examina automaticamente a caixa de entrada de e-mails dos usuários atrás de reservas de viagens e os ajuda a aproveitar quedas de preço em passagens aéreas e quartos de hotel. Hoje, o aplicativo também poupa tempo e dinheiro dos usuários agendando um horário no departamento de trânsito, obtendo reembolsos de uma plataforma de entrega de comida e cancelando a inscrição em listas de spam.

Automação é qualquer coisa que cumpra uma função com assistência ou esforço humano mínimos. E pode estar em qualquer área. Parte dela é tão normal que nem raciocinamos que seja automação – pense na máquina de lavar roupa, na lava-louças, na geladeira. Só quando essas coisas dão defeito ou quebram é que paramos para refletir em todo o tempo e esforço que nos poupam diariamente.

Outras formas de automação não existem há tanto tempo, mas são tão conhecidas que nem as notamos mais, como pagamentos por débito automático, termostatos programáveis, assistentes virtuais, etc.

Com o tempo, essas ferramentas estão ficando cada vez mais inteligentes. Os assistentes virtuais usam algoritmos de inteligência artificial para analisar padrões de compra passados e nos dizer quando o xampu ou a pasta de dentes está acabando. O termostato aprende se você prefere sua casa mais quente ou mais fria durante o dia e se ajusta de acordo com esses dados.

A tecnologia já está encarregada de muitas tarefas mentais, e essa tendência só se acelera. Até os carros autônomos já estão nas ruas.

Em 2012, os líderes da Expedia, empresa mundial de reservas de hospedagem, descobriram que, para cada 100 pessoas que faziam reservas em hotéis pelo site, 58 precisavam de mais ajuda e ligavam para o serviço de atendimento ao cliente.[145] A razão número um para os clientes ligarem era pedir que lhes reenviassem seu itinerário. Isso chegava a 20 milhões de ligações por ano: quase o equivalente a todos os habitantes da Austrália ligando para a empresa todo ano.

Em vez de continuar respondendo a esses pedidos um por um, a Expedia permitiu que os clientes acessassem o itinerário no próprio site, por meio de um sistema automatizado de mensagens. Foi necessário um investimento modesto de tempo e esforço, mas o resultado dessa única ação foi uma redução de 43% nas ligações diárias.

A economia de tempo e dinheiro dessa única mudança foi tão significativa que hoje a empresa opera toda uma série de recursos de autosserviço que usam inteligência artificial e aprendizado de máquina (*machine learning*) para atender às necessidades variadas dos clientes. Ryan O'Neill, que dirige as operações de experiência do cliente da Expedia, espera que 90% a 95% de todas as funções de atendimento acabem totalmente automatizadas.

Como podemos usar a tecnologia para automatizar as coisas que são realmente importantes em nosso cotidiano?

Domínios essenciais	Automação sem esforço
Sua saúde	Agende os exames anuais como um compromisso recorrente no mesmo dia todo ano e as consultas ao dentista no mesmo dia de seis em seis meses.
	Configure seu celular para acionar o "modo noturno" ou "escuro" (ou "*Night Shift*") duas horas antes da hora de dormir.
Seus relacionamentos	Marque ligações ou reuniões regulares com as pessoas mais importantes.
	Configure na agenda lembretes para o aniversário de amigos e parentes.
	Encomende com antecedência a entrega de flores ou presentes nos principais aniversários ou datas importantes.
Suas finanças	Programe o depósito mensal automático na poupança de um percentual de seu pagamento.
	Marque uma reunião semanal para revisar as finanças com a família e reuniões anuais com um consultor financeiro.
	Automatize a elaboração do orçamento com um aplicativo que registre seus gastos.
	Agende doações mensais ou anuais regulares para as instituições de caridade que você apoia.
Sua casa	Assine serviços on-line de compra regular de itens básicos.
	Crie um checklist anual de segurança para coisas como detetores de fumaça e extintores de incêndio.
	Faça listas de compras recorrentes no aplicativo ou site do supermercado.
	Delegue o planejamento das refeições a um aplicativo ou site com base em suas metas de saúde.

Sua carreira	Agende reuniões recorrentes com um mentor.
	Marque um horário todo trimestre para uma revisão de suas metas de carreira.
	Reserve cinco minutos toda manhã para ler um artigo sobre um tema importante não relacionado diretamente ao seu trabalho.
Seu lazer	Reserve uma hora por dia para fazer algo que lhe traz alegria.

Na teoria, reservar tempo para as coisas importantes parece simples. Na prática, é difícil fazer com constância, porque a vida real é cheia de surpresas. Mas o esforço que investimos em automatizar nossas tarefas banais porém essenciais gera benefícios significativos e que serão repetidos mais tarde.

Neste ponto, é importante fazer uma ressalva: a automação pode funcionar a seu favor ou contra você. Se atividades não essenciais forem automatizadas, elas também vão continuar acontecendo sem que você pense nelas. Um exemplo são as assinaturas que se renovam automaticamente. Sempre achamos que vamos nos lembrar de cancelá-las, mas nunca fazemos isso e acabamos sendo cobrados durante meses e até anos sem perceber. Certa vez, notei que pagava 10 vezes mais do que a quantia correta por um serviço on-line que eu assinara.

Considere usar a via da alta tecnologia e do baixo esforço para o essencial e a via de baixa tecnologia e muito esforço para o que não for essencial.

Capítulo 14

CONFIAR
O segredo das equipes de alto desempenho

Em 2003, Warren Buffett, um dos investidores mais bem-sucedidos do mundo e CEO e presidente do conselho da Berkshire Hathaway, se interessou em adquirir a McLane Distribution, empresa de soluções de *supply-chain* de 23 bilhões de dólares que pertencia ao Walmart. Fazer isso acontecer seria uma realização imensa e extraordinariamente complexa.

Só a diligência prévia, ou seja, o processo de confirmar que o que tinham lhe informado sobre a empresa era correto, exigiria um esforço monumental. Seria preciso que dezenas de advogados lessem cada contrato, os leasings de equipamentos, os documentos de compra de imóveis e os acordos sindicais. Um pequeno exército de contadores estudaria cada item das demonstrações financeiras anuais, trimestrais e mensais da empresa, examinando cada ativo, passivo e dívida. Uma equipe de especialistas em *compliance* ficaria encarregada de auditar, investigar e verificar todas as despesas de capital, tecnologias legadas e riscos declarados. Provavelmente, seria necessário examinar o relacionamento com os principais clientes da McLane. Todo o processo somaria facilmente milhões de dólares e levaria seis meses ou mais para ser concluído.

E isso torna ainda mais incrível o que realmente aconteceu: Buffett fechou o negócio com a McLane numa única reunião de duas horas e um aperto de mão.[146] Apenas 29 dias depois a aquisição foi efetivada. Com base em sua experiência anterior, ele concluiu que "sabia que tudo seria exatamente como o Walmart disse – e foi".

Uma reunião de duas horas e um aperto de mão? Sem diligência prévia! Pense no tempo, no dinheiro e no trabalho poupados com base no simples fato de que um lado confiou na palavra do outro. É um exemplo de como a confiança pode ser uma alavanca para transformar um esforço modesto em resultados residuais.

Todos nós trabalhamos com outros seres humanos em algum nível. Alguns trabalham em empresas extremamente estruturadas, onde se reportam a mais de uma pessoa, lidam com clientes internos e externos e têm que coordenar departamentos e/ou grupos funcionais separados. Outros trabalham com equipes menores que se espera que funcionem com agilidade, executem as tarefas depressa e produzam mais com menos recursos. Até os que atuam como autônomos precisam administrar as relações com clientes e consumidores, coordenar entregas com fornecedores e parceiros e assim por diante. Cada um desses ambientes acrescenta camadas de complexidade, algumas evitáveis, outras não.

Todos trabalhamos com outras pessoas em nossa vida pessoal também. E aqui, igualmente, os seres humanos são uma fonte de complexidade. Há a coordenação das agendas de nossos familiares. Há a gestão dos relacionamentos dentro dos grupos de amigos e a negociação de desejos conflitantes dentro de nossa comunidade local.

Seja qual for o contexto, trabalhar com outras pessoas pode ser exaustivo. Temos que investir recursos mentais. Preservar os relacionamentos. Alinhar prioridades diferentes ou conflitantes. Basta pensar no esforço envolvido na decisão de onde comer quando você se reúne com um grupo grande de amigos ou familiares. Quanto mais gente envolvida, maior o custo de coordenação. Até decisões fáceis podem ficar muito mais difíceis que o necessário.

Mas existe um jeito mais fácil de realizar tarefas em equipe.

Quando você tem confiança em seus relacionamentos, eles exigem menos esforço de gestão e de manutenção. Você pode distribuir rapidamente o trabalho entre os membros da equipe. As pessoas podem falar aberta e sinceramente dos problemas que surgirem e compartilhar as informações valiosas em vez de guardá-las para si. Ninguém tem medo ou vergonha de fazer perguntas quando não entende alguma coisa. A velocidade e a qualidade das decisões aumentam. As disputas políticas internas diminuem. Os funcionários podem até gostar de trabalharem juntos. E seu desempenho fica exponencialmente melhor, porque são capazes de concentrar toda a sua energia e atenção em realizar tarefas importantes em vez de simplesmente em se suportarem.

Quando há pouca confiança nas equipes, tudo é difícil. Mandar uma simples mensagem ou um e-mail é cansativo, porque você mede cada palavra imaginando como poderá ser recebida. Quando a resposta chega, gera até um pouco de ansiedade. Toda conversa parece um tormento. Quando não confia que alguém fará o que promete, você sente necessidade de conferir tudo de perto: cobrar prazos, supervisionar, rever o trabalho da pessoa.

Ou então não delega nada e acha melhor fazer tudo sozinho. O trabalho não rende.

Não se pode ter uma equipe de alto desempenho sem um alto nível de confiança.

A confiança é o lubrificante das equipes de alto desempenho

Todos sabemos que é preciso pôr óleo lubrificante no motor do carro para que ele continue funcionando, mas nem todo mundo sabe por quê. Dentro do motor, as muitas peças que se movimentam velozmente criam atrito quando esbarram umas nas outras. O óleo é o lubrificante que as mantém deslizando suavemente em vez de se desgastarem. Por isso, quando o motor fica sem óleo, pode travar ou pifar de vez.

É bem parecido com o que acontece em equipes em que falta confiança. Dentro de cada equipe há muita gente com papéis e responsabilidades inter-relacionados que se movem em alta velocidade. Se não há confiança, as metas, as prioridades e os interesses conflitantes esbarram uns nos outros, criando atrito e desgastando todo mundo. Quando a equipe fica sem confiança, é provável que desacelere ou pare de vez. A confiança é como o óleo da equipe. É o lubrificante que mantém essas pessoas trabalhando juntas sem atrito, para que a equipe continue a funcionar.

O segredo para obter Resultados Sem Esforço dentro das equipes e entre elas é instalar sistemas que garantam a boa lubrificação constante do motor.

Quando uma contratação vale mais que 100

A melhor maneira de alavancar a confiança para obter resultados residuais é simplesmente selecionar pessoas dignas de confiança.

Steve Hall,[147] um empresário de sucesso, me falou de uma gerente financeira que ele contratou para administrar as contas de sua empresa automotiva. Quando a gerente já tinha cinco anos de empresa, Steve descobriu uma discrepância contábil de 300 mil dólares. Quando a questionou, ela pediu desculpas e fez parecer que tinha sido um erro bem-intencionado. Mas Steve e o diretor financeiro ficaram em dúvida. Não tinham mais certeza de que podiam confiar nela naquele cargo e decidiram procurar um substituto. No entanto, isso aconteceu numa época em que a empresa crescia rapidamente, e eles não quiseram lidar naquele momento com a possível desorganização. Assim, decidiram mantê-la, acrescentando alguns mecanismos de proteção.

Cinco anos depois, eles descobriram que o "erro" de 300 mil dólares se transformara num rombo de 1,6 milhão de dólares roubados da empresa. Quando soube que tinha sido apanhada, ela mandou uma mensagem pedindo demissão e saiu da cidade. Ninguém da empresa ouviu mais falar da mulher.

Hoje em dia, Steve admite: "Meu erro foi ainda maior do que contratar alguém sem confiar. Eu a contratei, ela perdeu minha confiança e mesmo assim deixei que permanecesse na empresa."

Ao contratar alguém, é preciso ter certeza de que se trata de uma pessoa honesta e decente, que manterá o padrão alto quando ninguém estiver olhando, que cumprirá com suas responsabilidades, usará o bom senso, fará o que prometer e fará bem-feito. Se o profissional é digno de confiança, não é necessário microgerenciar; você sabe que ele entende as metas da equipe e que se preocupa tanto quanto você com a qualidade do trabalho essencial a ser feito.

Warren Buffett usa três critérios para determinar quem é digno de confiança para ser contratado ou para se sentar à mesa de negociações com ele.[148] Ele procura pessoas com integridade, inteligência e iniciativa, embora acrescente que, sem a primeira, as outras duas podem sair pela culatra.

Chamo isso de "Regra dos Três Is".

Depois do desastre com a gerente financeira, Steve Hall teve que encontrar um substituto. Em vez de pôr a culpa da situação numa "única maçã podre", ele e o diretor financeiro examinaram longa e atentamente todas as maneiras pelas quais, sem querer, possibilitaram que o problema ocorresse. Essa autoavaliação franca os ajudou a ver que precisavam melhorar o processo de recrutamento. Tinham contratado a última gerente de forma desorganizada, por meio da sugestão informal de um fornecedor. Dali em diante, eles se comprometeram com um novo processo, que envolvia mais tempo e esforço prévio; agora Steve entendia que investir uma única vez em recrutar, entrevistar e integrar reduziria em muito o seu risco no futuro.

Os novos critérios de contratação refletiam a Regra dos Três Is.

No fim, eles contrataram um homem sem experiência no setor automotivo; ele tinha sido contador de um escritório de advocacia. Mas era o encaixe perfeito em integridade, inteligência e iniciativa, uma pessoa capaz de trabalhar por conta própria, com ética impecável e capaz de resolver problemas rapidamente. Ou, em poucas palavras, eles realmente confiaram nessa pessoa. Já faz anos que Austin é um funcionário valioso. Mesmo após a venda da empresa a uma das 500 maiores segundo a lista da revista *Fortune*, ele foi mantido na equipe. Já foi promovido três vezes desde então. O contratado de confiança se transformou num dos funcionários de mais alto desempenho da organização.

Quando podemos dizer com convicção estas quatro palavrinhas "Confio em sua avaliação", o efeito é quase mágico. Os membros da equipe se sentem empoderados. Correm riscos. Crescem. A confiança é fortalecida. E ela tende a se espalhar. A coach de executivos Kim Scott diz o seguinte em seu livro *Empatia assertiva*: "Quando as pessoas confiam em você e acreditam que você se preocupa com elas, é mais provável que venham a ter o mesmo comportamento entre si, ou seja, há menos necessidade de empurrar a pedra morro acima o tempo todo."[149]

Contratar alguém é uma decisão única que produz Resultados Sem Esforço. Acerte uma vez e essa pessoa acrescentará valor centenas de vezes. Erre uma vez e isso poderá lhe custar algo repetidas vezes. É como economizar com um filtro de óleo de baixa qualidade: ele pode fazer o motor funcionar direito na hora, mas, assim que começar a vazar, causará problemas no sistema todo.

Quem contratar é uma decisão de importância desproporcional que cria mil outras decisões. Cada novo contratado pode influenciar futuras contratações e aos poucos mudar as normas e a cultura da empresa.

É comum enfrentarmos a pressão para preencher uma vaga imediatamente, porque ela cria uma dor de cabeça a curto prazo. Mas, embora a princípio contratar depressa possa aliviar a carga, contratar *bem* aliviará a carga de forma constante e repetida, poupando-lhe muitas dores de cabeça a longo prazo.

Elabore um acordo de alta confiança

Há três partes em todo relacionamento: a Pessoa A, a Pessoa B e a estrutura que as regula.

Quando a confiança se torna um problema, a maioria aponta o dedo para a outra pessoa. O chefe culpa o subordinado, o subordinado culpa o chefe. O professor culpa o aluno, o aluno culpa o professor. O pai culpa o filho, o filho culpa o pai. Às vezes somos capazes de reconhecer que nós é que erramos, mas raramente pensamos em culpar a própria estrutura do relacionamento.

Todo relacionamento tem uma estrutura, mesmo que seja tácita e pouco clara. A estrutura de baixa confiança é aquela em que as expectativas não são claras. As metas são incompatíveis ou conflitantes, as pessoas não sabem quem faz o quê, as regras são ambíguas, ninguém sabe quais são os padrões de sucesso, as prioridades parecem confusas e os incentivos são mal alinhados.

A estrutura de alta confiança é aquela em que as expectativas são claras. As metas são explicadas, os papéis são delineados com clareza, as regras e os padrões são declarados e os resultados certos são priorizados, incentivados e recompensados – constantemente, não só de vez em quando.

A maioria das pessoas vai concordar que esse tipo de relacionamento é preferível. O problema é que, em geral, as estruturas de relacionamento de baixa confiança acontecem por omissão, e não por intenção.

Certa vez, contratei vários profissionais para nos ajudar a reformar a casa. Eram funcionários de três empresas diferentes, mas tinham trabalhado juntos em vários projetos durante muitos anos. Eles se davam bem e pareciam competentes.

Cada indivíduo viera muito bem recomendado. Achei que as peças de uma experiência de alta confiança estavam todas encaixadas.

Só comecei a me preocupar quando pedi um acordo por escrito com as datas de entrega estipuladas e nunca recebi. Mas estava ansioso pela continuação da reforma e decidi que não valia a pena parar o trabalho por isso. Foi meu erro.

Embora cada pessoa da equipe trabalhasse com bastante competência sozinha, como equipe eles não eram nada coesos. Não havia processamento paralelo. Não havia fluxos de trabalho claros. Um fornecedor terminava uma tarefa e só então era encomendado o serviço seguinte.

Houve erros de comunicação: às vezes, os operários apareciam para trabalhar mas o material não estava lá. Eles não conseguiam chegar a um acordo nos prazos. Não conseguiam combinar quem era responsável pelo quê, e algumas iniciativas eram duplicadas, enquanto outras nem começavam. Recebemos dimensões incorretas para um eletrodoméstico e ele teve que ser novamente encomendado de outro fabricante para caber no espaço.

Resultado: a reforma terminou atrasada, com o orçamento estourado. E a cada passo a experiência se mostrou mais difícil do que precisava ser para todos os envolvidos. Esse é o resultado típico quando se tem uma estrutura de baixa confiança.

Alguns anos depois dessa experiência frustrante, fui convidado a falar no Lean Construction Institute (LCI),[150] associação comercial que trabalha para resolver o declínio da eficiência no setor de construção civil. Enquanto outros setores intensivos em mão de obra viram a eficiência aumentar desde a década de 1960, hoje, nos Estados Unidos, espantosos 70% dos projetos de construção civil são entregues com atraso e orçamento estourado; mais preocupantes são as 800 mortes e mais mil ferimentos relatados todo ano em obras. O LCI considera fundamental aplicar os princípios do *lean thinking* (pensamento enxuto) para melhorar essa situação.

Uma solução é firmar um contrato amarrando a remuneração de cada participante ao resultado do projeto como um todo, e não ao trabalho com que o indivíduo contribuirá. Alinhar os incentivos dessa maneira estimula os diversos envolvidos a atuar como uma equipe e a tomar decisões que beneficiam o projeto inteiro e não seu interesse pessoal. Além de ganharem uma noção de propriedade, de pensarem como donos, eles também se motivam a tomar iniciativas de modo a tornar a experiência toda mais eficiente.

Quer estejamos reformando uma casa, quer comandando uma equipe, todos nós podemos criar um acordo de alta confiança semelhante para tornar mais fácil realizar tarefas em equipe. Mesmo um investimento único num acordo desses pode trazer dividendos. E pode ser tão simples quanto todos se sentarem e sistematizarem o seguinte:

Acordo de alta confiança

Resultados	Que resultado queremos?
Papéis	Quem faz o quê?
Regras	Quais padrões mínimos viáveis devem ser mantidos?
Recursos	Quais recursos (pessoas, dinheiro, ferramentas) estão disponíveis e são necessários?
Recompensas	Como o progresso será avaliado e recompensado?

Dedicar algum tempo a construir uma base de confiança é um investimento valioso em qualquer relacionamento. É uma alavanca que transforma um esforço modesto em resultados residuais.

CAPÍTULO 15

PREVENIR
Resolva o problema antes que aconteça

Em 1977, Ali Maow Maalin era cozinheiro de um hospital em Merca, na Somália.[151] Quando surgiram casos de varíola, ele se ofereceu para servir de guia às autoridades locais que transportavam duas crianças doentes para um campo de isolamento. Maalin sabia que deveria ser vacinado antes de viajar com as crianças, pois a doença era extremamente contagiosa, mas a injeção lhe parecia dolorosa. Além disso, raciocinou, a viagem durava só 10 minutos. Ele não ficaria com as crianças tempo suficiente para ser infectado.

Quando começou a ter sintomas, ele já entrara em contato com dezenas de parentes, amigos e vizinhos. O que se seguiu foram duas semanas de esforço intenso, encabeçado pela equipe de erradicação da Organização Mundial da Saúde, para rastrear seus contatos, vacinar 54.777 pessoas na área e garantir que o vírus não se espalhasse mais – um esforço que teria sido poupado se Maalin houvesse recebido uma única injeção.

Essa história tem um final feliz. Na verdade, esse desastre de saúde pública, evitado por pouco, foi o último capítulo da intervenção de saúde mais bem-sucedida da história: uma campanha de vários anos para erradicar a varíola. Em 17 de abril de 1978, o escritório da OMS em Nairóbi enviou um telegrama simples: "Busca terminada. Nenhum caso encontrado. Ali Maow Maalin é o último caso conhecido de varíola." Como consequência do esforço coordenado das autoridades de saúde para vacinar grandes faixas da população mundial, uma doença que matou 300 milhões de pessoas no século XX estava agora restrita aos laboratórios.

Podemos não pensar em prevenção como o modo mais óbvio de obter resultado residual, mas que outro nome dar a isso quando uma única intervenção salva um número incalculável de vidas e resolve de uma vez por todas um problema que durava séculos?

A cauda longa da gestão do tempo

John abriu uma gaveta da escrivaninha para pegar uma caneta.[152] Quando a gaveta se recusou teimosamente a fechar, ele fez a dança de sempre: abriu-a o máximo possível, sacudiu-a, fechou-a e abriu-a de novo, mudou o lugar das coisas. Isso durou algum tempo. Curioso, o colega Dean Acheson (mentor do guru de produtividade David Allen) perguntou o que estava acontecendo. Era um estojo de lápis que estava emperrando a gaveta. Dean quis saber há quanto tempo aquilo era um problema. "Dois anos", respondeu John. "Há dois anos eu vinha me incomodando com isso todo santo dia." E quanto tempo ele levou para resolver? Dois minutos.

Por que tanta gente vai empurrando com a barriga os problemas, grandes ou pequenos, por muito mais tempo que o necessário?

Porque, em geral, administrar um problema leva menos tempo que solucioná-lo. No caso de John, embora 30 segundos de sacolejo fossem incômodos, ainda era menos tempo do que tirar o estojo do lugar e resolver a situação.

No entanto, se a gente olhar a equação pensando em um prazo mais longo, o cálculo muda. Quando somamos o custo cumulativo de tempo e irritação de hoje, amanhã e uma centena de dias posteriores, de repente faz sentido investir em resolver o problema de uma vez por todas. Nesse sentido, ajeitar a gaveta representaria uma grande economia: dois minutos de esforço para prevenir centenas de irritações futuras. Um ganho de tempo impressionante.

É o que chamo de *cauda longa da gestão do tempo*. Quando investimos nosso tempo em ações com cauda longa, continuamos a colher os benefícios por um longo período.

Às vezes ficamos tão acostumados com as pequenas irritações – como um estojo de lápis emperrando a gaveta da escrivaninha – que nem nos ocorre fazer algo para resolver. Mesmo que elas nos incomodem e nos queixemos, ainda não as vemos como um problema do que vale a pena se ocupar. Mas o que geralmente deixamos de reconhecer é que algumas tarefas que no momento parecem "não valer a pena" podem nos poupar 100 vezes o tempo e a irritação no longo prazo.

Para romper esse hábito, pergunte-se:

1. Tem algum problema que me irrita repetidamente?
2. Qual é o custo total de administrar isso durante vários anos?
3. Qual é o próximo passo que posso dar de imediato para avançar rumo à solução?

A meta é encontrar o maior incômodo que possa ser resolvido no menor tempo.

Assim que começar a se fazer essas perguntas, você notará as pequenas providências que pode tomar para tornar sua vida mais fácil no futuro. Por exemplo, certa vez tive uma cliente que sempre se atrasava para as reuniões. Ela sabia que aquilo prejudicava sua reputação e sua credibilidade. E, toda vez que via uma reunião importante na agenda, tinha uma crise de ansiedade – ironicamente, ficava tão preocupada em não se atrasar de novo que perdia a noção do tempo e, assim, seu maior medo se concretizava. Por fim, ela deu um jeito de prevenir o problema: toda noite, dedicava dois minutos a examinar a agenda do dia seguinte e a configurar um alarme para tocar cinco minutos antes de cada reunião. Bastava saber que os alarmes estavam configurados para aliviar a ansiedade, e ela logo perdeu a má reputação entre os colegas.

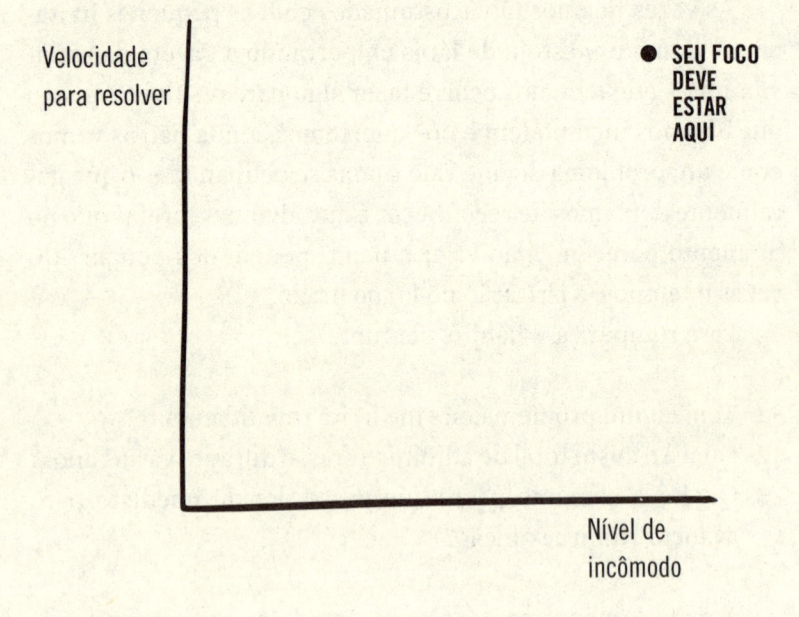

Velocidade para resolver

● SEU FOCO DEVE ESTAR AQUI

Nível de incômodo

O poder surpreendente de cortar pela raiz

Henry David Thoreau escreveu: "Há mil que podam os galhos do mal e um que tenta arrancar pela raiz."[153] Quando meramente administramos um problema, atingimos os galhos. Para prevenir o problema antes que gere consequências, temos que cortá-lo pela raiz.

Se você passou muito tempo podando os galhos, pode ter se tornado bom nessa tarefa. Mas se só faz isso, o problema continuará voltando para assombrá-lo. Está meramente sendo administrado, nunca resolvido.

Há algum problema ou irritação recorrente em sua vida pessoal ou no trabalho? Em vez de simplesmente atingir os galhos, concentre-se na raiz. Por exemplo:

Podar os galhos	Arrancar pela raiz
O médico trata um problema cardíaco com anos de medicação seguidos por uma cirurgia extremamente invasiva.	O médico incentiva os pacientes a comer de maneira saudável, a se exercitar e a marcar check-ups regulares.
O funcionário pede desculpas, várias vezes e a várias pessoas, por entregar o projeto atrasado.	O funcionário aprimora seu processo para terminar o projeto a tempo.
O educador se queixa constantemente dos alunos que não prestam atenção na aula.	O educador assina um contrato social com os pais e os alunos sobre as expectativas antes do início do ano.
O aluno está exausto porque sempre vira a noite na véspera da entrega de um trabalho.	O aluno passa 60 segundos marcando horários na agenda para fazer um pouco do trabalho todo dia ao longo de uma semana antes do fim do prazo.
A mãe ou o pai reclama de ter que arrumar a bagunça dos filhos todo dia.	A mãe ou o pai reforça o hábito positivo dos filhos arrumarem as próprias coisas.

Nunca é cedo demais para dar o alarme

De repente, o coração de Mary parou, e o enfermeiro acionou imediatamente o código azul.[154] Ela chegara ao hospital para uma cirurgia de prótese de joelho e estava bem de saúde. Agora, uma equipe de emergência corria para a sala de cirurgia para salvar sua vida. Graças à reação rápida, Mary se tornou um dos sortudos 15% de pacientes que sobrevivem a um código azul.

Depois que a poeira baixou, o enfermeiro de Mary ficou horrorizado ao perceber, em retrospecto, que deixara de ver os sinais de alarme. Umas seis horas antes da parada cardíaca, a fala e a respiração de Mary tinham ficado um pouquinho difíceis, mas, como os sinais vitais estavam normais, o enfermeiro não se preocupou. Duas horas depois, o oxigênio de Mary caíra um pouco e ela disse ao enfermeiro que estava se sentindo cansada. O enfermeiro decidiu não chamar o médico porque não queria dar um alarme falso.

Pesquisas mostram que é comum os pacientes emitirem sinais de alerta sutis seis a oito horas antes de um infarto. No entanto, muitas vezes a equipe do hospital espera para ver mais indícios de algo grave antes de chamar a atenção dos médicos para esses probleminhas. Enquanto isso, a janela de oportunidade para prevenir uma crise vai se fechando.

Vários anos atrás, os hospitais australianos criaram um sistema para aproveitar essa janela de oportunidade e identificar possíveis paradas cardíacas antes que acontecessem. Foram criadas equipes de resposta rápida (ERR), que incluíam um enfermeiro emergencista, um terapeuta respiratório e um médico. Em todas as unidades, foi distribuída uma lista dos gatilhos que poderiam sinalizalar uma parada cardíaca, com limiares para a ação. Por exemplo, o enfermeiro deve chamar a ERR quando a frequência cardíaca do paciente cai abaixo de 40 batidas por minuto ou sobe acima de 130 por minuto, mesmo que os sinais vitais pareçam normais.

Esse sistema logo foi adotado por hospitais nos Estados Unidos e resultou numa redução de 71% dos códigos azuis e de 18% das mortes. Um médico explicou por que as ERR se mostraram bem-sucedidas: "O segredo do processo é o tempo. Quanto mais cedo se identifica um problema, maior a probabilidade de se evitar uma situação perigosa."

Assim como você pode encontrar pequenas ações que tornarão sua vida mais fácil no futuro, pode procurar pequenas ações que vão evitar que sua vida fique mais complicada. Esse princípio se aplica a todo tipo de empreendimento.

Meça duas vezes, corte uma só

Em 2014, o jornal satírico francês *Le Canard enchaîné* observou uma estranha ocorrência nas estações de trem da França:[155] as plataformas pareciam estar diminuindo. E ninguém sabia por quê. O jornal entrou com contato com a SNCF, empresa ferroviária estatal do país, para questioná-la, mas o porta-voz não fez qualquer declaração. Assim, os repórteres continuaram investigando.

Finalmente, a história veio à tona: no início daquele ano, como parte da iniciativa de modernizar o sistema ferroviário francês, a SNCF gastara 20 bilhões de dólares numa frota nova de 2 mil trens. Os franceses se orgulhavam dessas máquinas modernas e avançadas. O fato de serem construídas na França, e não importadas, era importante para eles.

Só havia um problema: um quarto das plataformas da França eram 20 centímetros largas demais para os trens entrarem na estação. Quando o *Le Canard enchaîné* descobriu o tamanho do erro e publicou a história, a SNCF já tinha tirado secretamente 20 centímetros da borda de 300 plataformas. Mas restavam mil. Custo final para os contribuintes franceses: 65 milhões de dólares.

Um repórter da rádio americana NPR fez a pergunta que estava na cabeça de todo mundo quando entrevistou um colunista do *Le Canard enchaîné*: "Como a SNCF, uma empresa ferroviária que funciona desde 1938, faz algo tão burro quanto comprar trens que não cabem em tantas estações?"

A princípio, a resposta não estava muito clara. Depois, começou o festival de jogar a culpa nos outros. O ministro dos Transportes francês chamou o erro de "drama cômico" e apontou o governo anterior pela decisão de dividir a empresa ferroviária nacional SNCF da operadora nacional de ferrovias, a RFF, em duas entidades estatais separadas. Mais tarde, o problema foi atribuído a um erro simples e fácil de prevenir. A RFF, que informara as dimensões à SNCF, só medira plataformas construídas havia menos de 30 anos, supondo que eram iguais a todas as demais. Eles deixaram de levar em conta que muitas plataformas da França tinham mais de 50 anos, época em que os trens eram mais estreitos. Um porta-voz da RFF comentou: "É como se você comprasse uma Ferrari e, na hora de guardar na garagem, percebesse que sua garagem não comporta a Ferrari, já que você nunca teve uma Ferrari."

Infelizmente, confirmou outro porta-voz, eles "descobriram o problema um pouco tarde". Pois é.

Uma pequena suposição não é verificada. Um trem é construído e 2 mil unidades são compradas. É o tipo de engano que todos cometemos, embora em escala significativamente menor.

A lição aqui é aquela que muita gente aprendeu fazendo artesanato quando criança: meça duas vezes, corte uma só.

É comum que medir alguma coisa uma única vez (ou nenhuma) produza *consequências de primeira ordem*, quando são um resultado direto e imediato de nossas ações. Nesse caso, a RFF fez uma suposição falha sobre a uniformidade das plataformas das estações francesas e, consequentemente, informou medidas inexatas.

Mas é claro que a cadeia de consequências não para aí. Num mundo inter-relacionado, uma única ação também pode ter *consequências de segunda e terceira ordens*. Nesse caso, as medidas inexatas resultaram em trens largos demais, que resultaram na necessidade de obras extensas em 300 estações, que resultaram num gasto de 65 milhões de dólares pelo governo – dinheiro que poderia ter sido destinado a escolas, hospitais ou abrigos para sem-teto.

Erros são como dominós: têm efeito cascata. Quando cortamos o mal pela raiz e os detectamos antes que possam causar danos, não só impedimos que aquele primeiro dominó caia como prevenimos toda a reação em cadeia.

Um resumo sem esforço

Primeira Parte — Estado Sem Esforço

O que é o Estado Sem Esforço?

O Estado Sem Esforço é uma experiência que muitos já tivemos quando estávamos fisicamente descansados, emocionalmente aliviados e mentalmente energizados. Ficamos cem por cento conscientes, alertas, presentes, atentos e focados no que é essencial naquele momento. Somos capazes de nos concentrar com facilidade no que mais importa.

INVERTER

Em vez de perguntar "Por que isso é tão difícil?", inverta o raciocínio: "E se isso pudesse ser fácil?"

Questione a premissa de que o jeito "certo" é sempre o mais difícil.

Torne possível o impossível procurando uma abordagem indireta.

Quando estiver diante de um trabalho que parece esmagador, pergunte: "De que modo estou tornando isso mais difícil do que o necessário?"

DESFRUTAR

Combine as atividades mais essenciais com as mais agradáveis.

Aceite que trabalho e diversão podem coexistir.

Transforme tarefas maçantes em rituais cheios de significado.

Permita que riso e diversão iluminem o seu dia a dia.

LIBERTAR-SE

Abandone os fardos emocionais que não precisa continuar carregando.

Lembre-se: quando se concentra no que lhe falta, você perde o que tem. Quando se concentra no que tem, consegue o que lhe falta.

Use esta fórmula do hábito: "Toda vez que reclamar, mencionarei algo pelo qual sou grato."

Libere o rancor de seus deveres perguntando: "Para que função contratei esse rancor?"

DESCANSAR	Descubra a arte de não fazer nada.
	Não faça hoje mais do que conseguiria se recuperar completamente ainda hoje.
	Decomponha o trabalho essencial em três sessões de, no máximo, 90 minutos cada.
	Tire um cochilo sem esforço.
OBSERVAR	Atinja um estado de consciência aguçada utilizando o poder da presença.
	Treine o cérebro para se concentrar no que é importante e ignorar o que é irrelevante.
	Para enxergar os outros com mais clareza, deixe de lado suas opiniões, conselhos e julgamentos e ponha a verdade deles acima da sua.
	Arrume a bagunça do ambiente físico antes de arrumar a bagunça da mente.

Segunda Parte — Ação Sem Esforço

O que é a Ação Sem Esforço?	Ação Sem Esforço significa realizar mais se desgastando menos. Você para de procrastinar e dá o primeiro passo óbvio. Alcança a linha de chegada sem pensar demais o tempo todo. Progride estabelecendo um ritmo e não avançando à força. Obtém um resultado acima da média sem um esforço extenuante.
DEFINIR	Para iniciar um projeto essencial, defina primeiro que aspecto ele deve ter quando estiver finalizado.
	Estabeleça condições claras para a conclusão, chegue lá e pare.
	Reserve 60 segundos para se concentrar no resultado desejado.
	Faça uma lista "Pronto por Hoje". Limite-a a itens que constituiriam um progresso significativo.

COMEÇAR	Concentre-se na primeira ação óbvia.
	Decomponha a primeira ação óbvia em passos menores e mais concretos.
	Obtenha o máximo de aprendizado com a ação mínima viável.
	Comece com uma microexplosão de 10 minutos de atividade focada para promover energia e motivação.
SIMPLIFICAR	Para simplificar o processo, não simplifique os passos: simplesmente os remova.
	Reconheça que nem tudo exige um esforço a mais.
	Maximize os passos não dados.
	Meça o progresso pelo menor dos incrementos.
PROGREDIR	Ao iniciar um projeto, comece com algo ainda tosco.
	Adote a abordagem do "rascunho zero" e ponha algumas palavras, quaisquer palavras, no papel.
	Barateie o fracasso: cometa erros de aprendizado.
	Proteja seu progresso das críticas duras da sua cabeça.
ESTABELECER UM RITMO	Dite um ritmo sem esforço: devagar é tranquilo, tranquilo é rápido.
	Rejeite a falsa economia de forçar seus limites.
	Encontre uma faixa ideal. *Nunca farei menos do que X, nunca farei mais do que Y.*
	Reconheça que nem todo progresso é criado igual.

Terceira Parte	**Resultados Sem Esforço**
O que são Resultados Sem Esforço?	Você continuou a cultivar seu Estado Sem Esforço. Começou a realizar a Ação Sem Esforço com clareza de objetivo, primeiros passos minúsculos e óbvios e um ritmo constante. Está obtendo os resultados que deseja com mais facilidade. Mas agora quer que esses resultados continuem a fluir até você, várias e várias vezes, com o mínimo possível de esforço adicional. Você está pronto para atingir os Resultados Sem Esforço.
APRENDER	Aprenda princípios, não apenas fatos e métodos.
	Compreenda profundamente os princípios básicos e depois aplique-os várias vezes.
	Suba nos ombros de gigantes e tire proveito do que eles já sabem.
	Desenvolva conhecimentos exclusivos, e isso abrirá as portas para oportunidades recorrentes.
ELEVAR	Use o ensino como alavanca para aproveitar a força da multiplicação.
	Cause impacto abrangente ensinando os outros a ensinar.
	Viva o que ensina e observe quanto aprenderá.
	Conte histórias que sejam fáceis de entender e repetir.
AUTOMATIZAR	Libere espaço no cérebro automatizando o máximo possível de tarefas essenciais.
	Use checklists para acertar todas as vezes sem ter que confiar na memória.
	Busque escolhas únicas que eliminem decisões futuras.
	Escolha o caminho de alta tecnologia para o essencial e o de baixa tecnologia para o não essencial.

CONFIAR	Deixe que a confiança seja o óleo lubrificante de equipes sem atrito e de alto desempenho.
	Faça a contratação certa uma vez e ela continuará a produzir resultados muitas e muitas vezes.
	Siga a Regra dos Três Is: contrate pessoas com integridade, inteligência e iniciativa.
	Crie acordos de alta confiança para esclarecer resultados, responsabilidades, regras, recursos e recompensas.
PREVENIR	Não se limite a administrar o problema. Resolva-o antes que cause danos.
	Busque ações simples hoje que possam prevenir complicações amanhã.
	Invista dois minutos de esforço uma vez e acabe com irritações recorrentes.
	Detecte os erros antes que aconteçam; meça duas vezes para só ter que cortar uma vez.

Conclusão

AGORA
O que acontece em seguida é o que mais importa

Não faz muito tempo, minha família e eu nos mudamos para uma comunidade idílica. As ruas são ladeadas por cerquinhas brancas. Não há postes de luz. Existem mais trilhas equestres do que ruas. Nossos filhos passavam longos dias brincando ao ar livre com o cachorro, andando a cavalo e jogando tênis. Fazíamos caminhadas cedinho e passeios de bicicleta. Cultivávamos um pomar com macieiras, parreiras e pés de melão. Em resumo, morávamos num pedacinho de paraíso na Terra.

Eve, uma de nossas filhas, pareceu florescer no novo ambiente. Ela é uma menina magra, de olhos castanhos e cabelo louro, com um sorriso travesso, que simplesmente não consegue ficar de mau humor. Mesmo quando tenta ficar emburrada, só consegue se manter assim por alguns segundos antes de cair na gargalhada. Ela adora estar em meio à natureza. Corria descalça sempre que podia, lutava com o irmão mais novo na cama elástica durante horas, dava nome às galinhas, pegava com cuidado dezenas de lagartos e os libertava com gentileza.

Eve lia sem parar e devorava livros sobre cavalos, abelhas e insetos. Todo dia, escrevia sobre suas próprias aventuras em seu diário. Certa vez, quando levei Eve comigo numa viagem de negócios, liguei para Anna no aeroporto e contei que Eve literalmente não tinha parado de falar desde nossa partida, uma hora e meia antes. Era uma conversa animada, cintilante, marcada por risos.

Então Eve fez 14 anos. Ela teve um estirão de crescimento, começou a se sentir muito cansada, a conversar menos conosco e a levar mais tempo para cumprir suas tarefas. Um comportamento adequado à idade, ou assim pensamos.

Numa consulta com o fisioterapeuta, ele notou que Eve não reagia adequadamente aos testes básicos de reflexos. Sugeriu que a levássemos a um neurologista. Não precisamos ouvir isso duas vezes.

A partir daí, os sintomas dela pioraram a cada dia. Em poucas semanas, ela só conseguia dar respostas de uma palavra, falando com voz monótona e arrastada. Notamos que o lado direito do corpo reagia numa velocidade mais lenta que o lado esquerdo. Ela levava dois minutos inteiros para escrever o nome e horas para fazer uma refeição. O brilho de Eve, antes tão forte e vibrante, se ofuscou. Depois, pareceu se apagar inteiramente quando ela foi internada após uma convulsão forte.

O que piorava a situação era que os médicos não conseguiam dar uma explicação para o estado dela. Não ofereciam nem um começo de diagnóstico.

Cada dia trazia mais consultas a neurologistas respeitados que nos olhavam com o cenho franzido; um deles literalmente deu de ombros. Houve exames, exames e mais exames. Todos dentro da normalidade. Os médicos ainda não conseguiam encontrar nada, nem mesmo uma pista. Observar uma filha tão animada cair numa espiral descendente sem nenhuma explicação é o pior tipo de sofrimento.

A cada consulta infrutífera, a cada exame inconclusivo, ficava cada vez mais difícil ver o caminho à frente. O desafio diante de nós, mais do que difícil, parecia absolutamente impossível.

Tudo o que queríamos no mundo era que Eve melhorasse. Não era só a coisa mais importante. Era a única coisa.

Na minha visão, havia dois caminhos para chegar lá. Um tornava aquela situação difícil mais pesada. O outro a tornava mais leve. E tínhamos que escolher que caminho seguir. Talvez a escolha pareça óbvia. Mas não foi.

Como pais, nosso instinto era atacar o problema com força total por todas as direções: nos preocuparmos com ela 24 horas por dia, procurar todos os neurologistas do país, consultar médicos um atrás do outro, fazer a eles milhões de perguntas, virar noites estudando revistas de medicina e procurando no Google um tratamento, ou mesmo só um diagnóstico, pesquisar terapias alternativas. Julgávamos que a gravidade da situação exigisse um esforço quase sobre-humano. Mas isso seria insustentável e, ao mesmo tempo, também produziria um resultado decepcionante.

Ainda bem que seguimos o segundo caminho. Percebemos que a melhor maneira de ajudar nossa filha e toda a nossa família naquela época não era fazer *mais esforço*. Na verdade, era o contrário. Precisávamos dar um jeito de tornar cada dia um pouco *mais fácil*. Por quê? Porque tínhamos que ser capazes de manter esse esforço por um tempo desconhecido. Não era negociável: não podíamos, nem agora nem nunca, nos esgotar. Quando a tarefa é manter o fogo acesso por um período indeterminado, não se pode jogar todo o combustível nas chamas logo no começo.

Assim, decidimos que havia coisas que não faríamos. Coisas que não poderíamos fazer. A situação já era bastante difícil sem que nós a dificultássemos ainda mais.

- Não nos torturaríamos com perguntas impossíveis de responder.
- Não ficaríamos doentes de preocupação imaginando os piores cenários.
- Não reclamaríamos dos médicos por não terem respostas.
- Não viveríamos em negação nem nos diríamos "Não é tão ruim assim".
- Não tentaríamos encurtar os prazos.
- Não perguntaríamos "Por que isso está acontecendo conosco?".
- Não iríamos nos desgastar com cada artigo das revistas de medicina que pessoas bem-intencionadas nos mandavam.
- Não tentaríamos fazer tudo sozinhos.

Em vez disso, decidimos nos concentrar nas coisas simples, nas coisas fáceis, nas coisas que podíamos controlar. Eis o que fazíamos:

- Cantávamos em torno do piano.
- Saíamos para caminhar.
- Líamos livros.
- Jogávamos.
- Buscávamos os pontos positivos e os apontávamos.
- Rezávamos juntos.
- Jantávamos juntos.
- Brindávamos uns aos outros.
- Contávamos histórias.

- Ríamos.
- Manifestávamos gratidão.

Fazíamos essas coisas todo dia e então notamos uma força quase mágica em ação. Todos passamos a nos sentir menos sobrecarregados. Ficamos menos exaustos. Não nos esgotamos.

É claro que a preocupação não desapareceu totalmente. Ainda havia as consultas médicas, os resultados dos exames. Alguns dias eram mais difíceis que outros. Houve muitas lágrimas. Mas, em tudo isso, também houve cantoria, risos, comilança e boas lembranças. Não só atravessamos esse período difícil, não só sobrevivemos a ele. Nossa experiência foi mais suave do que isso. A partir do momento em que decidimos escolher o caminho mais fácil, de certo modo nos sentimos mais livres e mais leves.

Se essa história fosse um filme da Disney, seria nesta parte que eu contaria que Eve se curou e todos vivemos felizes para sempre. Mas, depois de uma rodada de tratamentos bem-sucedidos, ela começou a regredir. Os problemas voltaram. Como lidaríamos com esse revés se tivéssemos esgotado toda a nossa energia na primeira vez?

Já se passaram dois anos. Eve continua a melhorar. Ainda tem um longo caminho pela frente, mas, enquanto escrevo isso, tenho razões para acreditar que ela ficará completamente curada. Ela sorri, dá risada e brinca. Anda, corre e luta. Lê, escreve. Voltou a florescer.

E sabe o que eu aprendi com essa experiência?

Seja qual for a dificuldade ou a dor que você precisou enfrentar na vida, por mais significativa que tenha sido, ela empalidece em comparação com o poder que você tem de escolher o que fazer agora.

Seja qual for a dificuldade ou a dor que você precisou enfrentar na vida, por mais significativa que tenha sido,

ela empalidece em comparação com o poder que você tem de escolher o que fazer agora.

Em inglês, o termo para designar "agora" é *now*, que vem da expressão latina *novus homo*, que significa "homem novo". A ideia fica clara: cada novo momento é uma oportunidade de recomeçar. A oportunidade de fazer uma nova escolha.

Pense em como a trajetória de uma vida pode mudar no instante mais fugaz – o instante em que assumimos o controle: "Eu escolho", "Eu decido", "Eu prometo" ou "A partir de agora...". O instante em que nos libertamos dos fardos emocionais: "Eu perdoo você", "Eu sou grato" ou "Estou disposto a aceitar". Ou o instante em que acertamos as coisas: "Por favor, me perdoe", "Vamos recomeçar", "Não vou desistir de você" ou "Amo você".

Em cada novo instante temos o poder de moldar todos os instantes subsequentes.

A cada momento temos uma escolha. Escolho o caminho mais pesado ou o mais leve?

Observamos nossa filha encolher até virar uma casca de seu eu anterior – e se recuperar. Essa é a experiência pessoal que me inspirou a escrever este livro. A pôr em palavras o que aprendemos, o que ganhamos. A dividir com você os princípios e as práticas que aliviam nossa jornada essencial na vida.

Se você extrair uma única lição deste livro, espero que seja esta: a vida não precisa ser tão dura e complicada quanto a tornamos. Cada um de nós, como escreveu Robert Frost, tem "promessas a cumprir e milhas a percorrer antes de dormir".[156] Não importam os desafios, os obstáculos ou as dificuldades que encontramos pela frente, sempre podemos procurar o caminho mais simples e fácil.

Passado   Agora   ······ Futuro ······

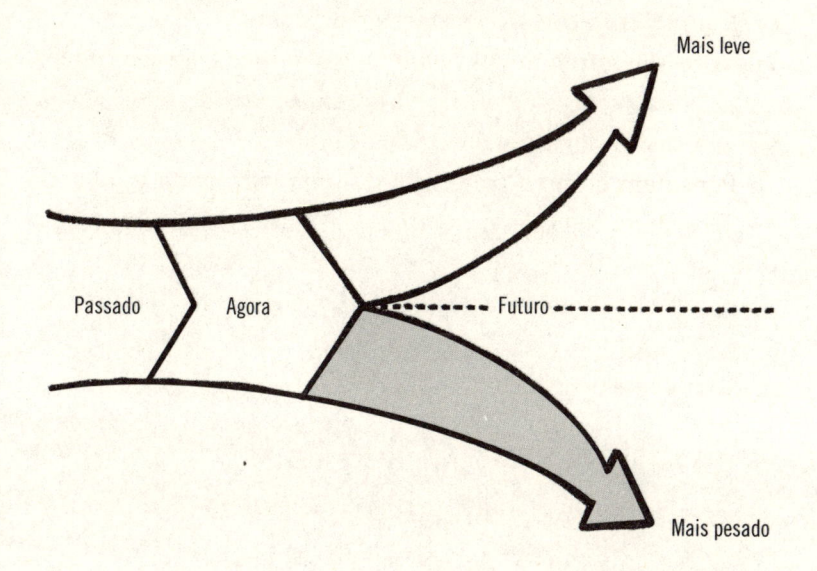

Mais leve

Mais pesado

Agradecimentos

Foram muitas as pessoas que tornaram este livro possível. Sinto profunda gratidão especialmente pelas seguintes:

Obrigado, Anna Elizabeth McKeown. Não há uma única palavra neste livro que não tenha sua impressão digital. Você cria em torno de si uma cultura em que as coisas crescem e prosperam. Simplesmente não consigo imaginar ter este ou qualquer livro sem você.

Agradeço a meus filhos Grace, Eve, Jack e Esther. Vocês ouviram todas as versões do título e do subtítulo do livro e deram bons conselhos. Cada leitor deste livro tem com vocês uma dívida de gratidão por torná-lo menos tosco. Obrigado também pela permissão de compartilhar suas histórias. Conto-as aqui na certeza de que podem ser úteis aos outros.

Obrigado ao restante da minha família, principalmente por ler e comentar, porém, mais ainda, pelo entusiasmo e pelo estímulo. Significou muito para mim.

Agradeço a Rafe Sagalyn por ser o melhor agente literário que eu poderia ter. Adoro nossas conversas e insights. Sou grato a você pelo apoio constante que já dura muitos anos.

Obrigado, Talia Krohn. Uma das alegrias de minha vida profissional é ter você como minha editora em *Essencialismo* e *Sem esforço*. Tem sido um verdadeiro prazer trabalharmos juntos.

Sou muito grato a Jonathan Cullen por ser um acréscimo tão incrível à "Equipe Sem Esforço". Sua pesquisa e a colaboração, a crença no projeto e a disposição de procurar histórias que surpreendam e deem prazer foram absolutamente imprescindíveis.

Obrigado aos muitos que leram as primeiras versões e fizeram comentários: Sam Bridgstock, Neil Devor, Steve Hall, Nancy Josephson, Soraya Hold, Jade Koyle, Jim Meeks, Jason Peery, Jennifer Reid, Harry Reynolds e Jeremy Utley.

Obrigado, Terri Radstone, pela excelente contribuição nas muitas versões da capa; chegamos ao lugar certo e dou muito valor a trabalhar com você. E obrigado, Denisse Leon, pelo grande apoio nas ilustrações e pelo entusiasmo que põe em tudo o que faz.

Obrigado à Tribo Essencialista do mundo inteiro: leitores, ouvintes e colegas. Vocês me dão ânimo todos os dias. Minha meta não foi escrever um livro, foi escrever um livro *para vocês*.

Finalmente, quero agradecer à mão do Senhor em tudo o que foi bem-sucedido nesse processo. Suas palavras assumem um novo significado no fim desse mergulho profundo no que *Sem esforço* realmente significa. De forma esplendorosa, Ele disse: "Pois o meu jugo é *suave* e o meu fardo é *leve*" (Mateus 11:30).

Notas

Introdução

1. Patrick McGinnis, *10% empreendedor* (Rio de Janeiro: Alta Books, 2018). O trecho também se baseou em minhas entrevistas com Patrick em agosto de 2020.
2. Há muitas edições e traduções de *A revolução dos bichos*, mas o cavalo Lutador é descrito no início do Capítulo 3 como um trabalhador forte cuja resposta a todos os problemas é "Eu vou trabalhar mais!", que ele adota como lema pessoal. No final do Capítulo 9, mesmo fraco e moribundo, Lutador ainda tenta pronunciar essas palavras.
3. Greg McKeown, *Essencialismo: A disciplinada busca por menos* (Rio de Janeiro: Sextante, 2015).
4. "How Do Polarized Sunglasses Work?," *SciShow*, 11 de agosto de 2018, YouTube, youtube.com/watch?v=rKlZ_ibIBgo.
5. George Eliot, *Middlemarch: Um estudo da vida provinciana,* (Rio de Janeiro: Record, 1998). George Eliot era o pseudônimo da poeta e romancista inglesa vitoriana Mary Ann Evans. Sua observação completa é: "O Sr. Lydgate compreenderia que, se seus amigos ouvissem uma calúnia sobre ele, o primeiro desejo deles seria defendê-lo. Para que vivemos, se não para tornar a vida menos difícil uns para os outros? Não posso ser indiferente aos problemas de

um homem que me orientou nas dificuldades e cuidou de mim em minha doença."

Primeira Parte

6 Elena Donne descreve seu segredo em Brian Martin, "Elena Delle Donne Is the Greatest Free Throw Shooter Ever," WNBA, 7 de setembro de 2018, wnba.com/news/elena-delle-donne-is-the-greatest-free-throw-shooter-ever. Em 2019, Elena se juntou a apenas oito homens da NBA no prestigiado clube 50-40-90 (50% de aproveitamento nas cestas de 2 pontos, 40% nas cestas de 3 pontos e 90% nos lances livres numa temporada). Scott Allen, "'Insane Numbers': NBA Stars Welcome Elena Delle Donne to 50-40-90 Club", *The Washington Post*, 9 de setembro de 2019.

7 Carl Zimmer, "The Brain: What Is the Speed of Thought?", *Discover*, 16 de dezembro de 2009, discovermagazine.com/mind/the-brain-what-is-the-speed-of-thought. Zimmer conclui: "Mais veloz que um pássaro e mais lento que o som. Mas a questão talvez não seja essa: a eficiência e o timing parecem ser mais importantes."

8 Nilli Lavie e Yehoshua Tsal, "Perceptual Load as a Major Determinant of the Locus of Selection in Visual Attention", *Perception and Psychophysics*, 56, nº 2, 1994, pp. 183-197.

9 Anne Craig, "Discovery of 'Thought Worms' Opens Window to the Mind", *Queen's Gazette*, 13 de julho de 2020, queensu.ca/gazette/stories/discovery-thought-worms-opens-window-mind.

10 A. Tsouli, L. Pateraki, I. Spentza e C. Nega, "The Effect of Presentation Time and Working Memory Load on Emotion Recognition", *Journal of Psychology and Cognition*, 2, nº 1, 2017, pp. 61-66. Mostraram aos participantes fotografias de rostos amedrontados, zangados, felizes e neutros durante uma tarefa com carga da memória operacional. O estudo constatou que, embora os participantes conseguissem reconhecer bem as expressões feliz e neutra sem usar a memória operacional, os rostos negativos geraram um tempo de reação mais longo. O resultado indica que somos programados para reconhecer

mais rápido as pessoas amistosas do ambiente e que, quando encontramos ameaças, começamos a recorrer à memória operacional para avaliá-las com mais propriedade.

Capítulo 1

11 Kimberly Jenkins, correspondência mantida de setembro de 2019 a junho de 2020.
12 "The Long History of the Phrase 'Blood, Sweat, and Tears'", Word Histories, acessado em 15 de outubro de 2020, wordhistories.net/2019/03/28/blood-sweat-tears. Essa versão abreviada da expressão ficou popular quando Winston Churchill fez um discurso na Câmara dos Comuns britânica em 13 de maio de 1940, logo depois de substituir Neville Chamberlain como primeiro-ministro. Ele avisou que não tinha "nada a oferecer além de sangue, labuta, lágrimas e suor". A metáfora original data do início do século XVII, quando o poeta inglês John Donne escreveu "com tuas lágrimas, ou teu suor, ou teu sangue: nada", em *An Anatomy of the World: Wherein, by Occasion of the Untimely Death of Mistris Elizabeth Drury, the Frailty and the Decay of this Whole World Is Represented* (Londres, 1611).
13 Daniel Kahneman, *Rápido e devagar* (Rio de Janeiro: Objetiva, 2012).
14 Edward B. van Vleck, "Current Tendencies of Mathematical Research", *Bulletin of the American Mathematical Society*, 23, nº 1, 1916, pp. 1-14. O matemático americano Edward Burr van Vleck escreveu em 1916 sobre a abordagem de Jacobi: "Foi virando a integral elíptica do avesso que Jacobi obteve sua esplêndida teoria das funções teta e elíptica."
15 Robert Isaac Wilberforce e Samuel Wilberforce, *The Life of William Wilberforce* (Londres: John Murray, 1838). As iniciativas abolicionistas de Wilberforce, iniciadas em 1787, estão bem documentadas nessa biografia publicada pelos seus dois filhos cinco anos depois de sua morte. Numa carta ao reverendo Thomas Clarkson, ele a chamou de "a maior causa que já envolveu o esforço dos homens públicos"

(*Life*, vol. 5, p. 44). No entanto, naquele mesmo ano sua fé de que atingiria sua meta se esvaiu, e em 5 de abril ele escreveu a lorde Muncaster: "Quanto a minha lei do escravo estrangeiro, confesso que não tenho esperança de passar pelos lordes, mas não me agrada que seja forçada a jazer na estante."

Há um panorama completo de todas as suas iniciativas durante décadas no prefácio da *Life*, intitulado "Tabular View of the Abolition of Slavery and the Slave Trade".

16 James Stephen, *War in Disguise; or, the Frauds of the Neutral Flags* (Londres: J. Hatchard, 1805), archive.org/details/warindisguiseorf00step/page/4/mode/2up?q=neutral.

17 Tom Holmberg, "The Acts, Orders in Council, &c. of Great Britain [on Trade], 1793-1812", Napoleon Series, 1995-2004, napoleon-series.org/research/government/british/decrees/c_britdecrees1.html. No Reino Unido, a *order in council* é um decreto do soberano por sugestão do Conselho Privado. Ao contrário da legislação, não exige aprovação do Parlamento. Todas as *orders in council* de 1807 se encontram nesse site.

18 "An Act for the Abolition of the Slave Trade", 47 Georgii III, Sessão 1, cap. XXXVI. Embora tenha se tornado ilegal vender e comprar escravos no Império Britânico depois que a lei entrou em vigor em 1807, a escravidão em si durou mais uma geração. Finalmente, tornou-se ilegal em 28 de agosto de 1833, com "An Act for the Abolition of Slavery throughout the British Colonies; for promoting the Industry of the manumitted Slaves; and for compensating the Persons hitherto entitled to the Services of such Slaves" (mais conhecida como Lei da Abolição da Escravatura de 1833). Juntas, as duas leis são chamadas de "Leis da Abolição".

19 T. D. Klein, *Built for Change: Essential Traits of Transformative Companies* (Santa Barbara: Praeger, 2010), p. 51. O autor diz que Kelleher contou essa história a um pequeno grupo no início da carreira de Klein.

20 Tim Ferriss, *Ferramentas dos titãs* (Rio de Janeiro: Intrínseca, 2018).

21 Arianna Huffington, *The Sleep Revolution: Transforming Your Life, One Night at a Time* (Nova York, Harmony Books, 2016), p. 4.

22 Warren E. Buffett, "Shareholder Letter", em *Berkshire Hatha-*

way 1990 Annual Report (Omaha: Berkshire Hathaway Inc., 1991), berkshirehathaway.com/letters/1990.html.

Capítulo 2

23 Com base em minha entrevista com Jane e nossa correspondência subsequente, de junho a agosto de 2020.
24 Gillian Welch, "Look at Miss Ohio", *Soul Journey,* Acony Records, 2003.
25 Ver a história do Red Nose Day da Comic Relief em "Red Nose Day 1980s", Comic Relief, acessado em 18 de setembro de 2020, comicrelief.com/red-nose-day-1980s.
26 "Comic Relief Raises £1bn over 30-Year Existence", BBC News Online, 14 de março de 2015.
27 "How to Make Difficult Tasks More Fun", *HuffPost,* 26 de outubro de 2012, huffpost.com/entry/enjoying-life_b_2009016. Ron Culberson se apresenta como um "palestrante engraçado" e começa a carreira trabalhando com pessoas no fim da vida como assistente social em atendimento de saúde domiciliar. Ver também ronculberson.com e o livro de Culberson, *Do It Well. Make It Fun: The Key to Success in Life, Death, and Almost Everything in Between* (Austin: Greenleaf Book Group, 2012).
28 "The Lego Group History", acessado em 21 de setembro de 2020, lego.com/en-us/aboutus/lego-group/the-lego-group-history. Veja mais sobre a história do Lego Group em "Automatic Binding Bricks", acessado em 21 de setembro de 2020, lego.com/en-us/lego-history/automatic-binding-bricks-09d1f76589da4cb48f01685e0dd0aa73.
29 Kathryn Dill, "Lego Tops Global Ranking of the Most Powerful Brands in 2015", *Forbes,* 19 de fevereiro de 2015, forbes.com/sites/kathryndill/2015/02/19/lego-tops-global-ranking-of-the-most--powerful-brands-in-2015/#38a1825b26f0.
30 "Dan Ariely: The Truth About Lies", podcast *The Knowledge Project,* 25 de maio de 2018, theknowledgeproject.libsyn.com/irrationality--bad-decisions-and-the-truth-about-lies.

31 Marie Kondo, *A mágica da arrumação* (Rio de Janeiro: Sextante, 2010).
32 Hilary Macaskill, *Agatha Christie at Home* (Londres: Frances Lincoln, 2014). A autora conta que Agatha Christie comprou uma propriedade no final da década de 1930 por 6 mil libras. Mandou um arquiteto reformá-la e lhe disse: "Quero uma banheira grande e preciso de uma prateleira porque gosto de comer maçãs." Em *The Agatha Christie Miscellany* (Cheltenham: History Press, 2013), Cathy Cook escreve: "Christie disse que pensava melhor deitada na banheira, comendo maçãs e tomando chá. Ela afirmou que as banheiras modernas não eram feitas pensando em escritores, por serem 'escorregadias demais, sem boas prateleiras de madeira onde pôr lápis e papel'." Ver também "The Blagger's Guide to: Agatha Christie", *The Independent*, 30 de março de 2013, independent.co.uk/arts-entertainment/books/features/the-blaggers-guide-to-agatha-christie-8555068.html.
33 Edmund Morris, *Beethoven* (Rio de Janeiro: Objetiva, 2007). Morris conta que Beethoven encadeava uma série de rituais, como o da contagem matutina de grãos de café: "Em Unterdöbling [lar de Beethoven], ele adotava a rotina anual que seguiria pelo resto da vida; primavera, verão e início do outono passados esboçando música nos bosques ou nos vinhedos, inverno na cidade transformando os esboços em composições acabadas. Portanto, a estação do crescimento se associou em sua mente à criatividade, e os dias sem folhas, a copiar provas, ensaios, concertos e contratos. Durante o ano todo, ele acordava ao amanhecer, tomava o café da manhã, preparava o café mais forte possível (contando cuidadosamente 60 grãos por xícara) e trabalhava até o meio-dia em seu 'piano-escrivaninha', que lhe permitia escrever e tocar ao mesmo tempo."
34 Anthony Everitt, *Augustus: The Life of Rome's First Emperor* (Nova York: Random House, 2006), p. 120.

Capítulo 3

35 Guy de Maupassant, "The Piece of String", Project Gutenberg, gutenberg.org/files/3090/3090-h/3090-h.htm#2H_4_0132, publicado originalmente na coletânea de contos *Miss Harriet* (Paris: Victor Havard, 1884).
36 Barbara L. Fredrickson, "The Broaden-and-Build Theory of Positive Emotions", *Philosophical Transactions of the Royal Society of London. Series B, Biological Sciences*, 359, nº 1.449 (29 de setembro de 2004), pp. 1.367-1.378.
37 Jim Collins, *Empresas feitas para vencer* (Rio de Janeiro: Alta Books, 2018).
38 B. J. Fogg, *Micro-hábitos* (Rio de Janeiro: HarperCollins, 2020).
39 Chris Williams, *Let It Go: A True Story of Tragedy and Forgiveness* (Salt Lake City, Shadow Mountain, 30 de julho de 2012).
40 Clayton Christensen, *Muito além da sorte* (Porto Alegre: Bookman, 2017). Christensen dá o exemplo maravilhoso de uma rede de fast food que queria vender mais milkshakes: "Um número surpreendente de milkshakes era vendido antes das nove da manhã a pessoas que entravam sozinhas na lanchonete. Quase sempre, era a única coisa que compravam. Elas não paravam para tomá-lo lá; entravam no carro e iam embora com ele. Então lhes perguntamos: "Com licença, mas tenho que entender esse enigma. Que serviço você tenta prestar a si mesmo que o faz entrar aqui e contratar este milkshake? [...] Logo ficou claro que os clientes madrugadores tinham todos o mesmo serviço a fazer: uma viagem longa e tediosa até o trabalho. Eles precisavam de algo que tornasse o deslocamento interessante."
41 J. R. R. Tolkien, *O senhor dos anéis: As duas torres* (Rio de Janeiro: HarperCollins, 2019). A princípio, Grima Língua de Cobra é um servo e assessor fiel do rei Théoden. Mas depois ele se alinha ao inimigo secreto de Rohan, o feiticeiro Saruman, cuja magia sombria controla o rei através da influência de Língua de Cobra. Gandalf descreve a situação a Théoden assim: "E os sussurros de Língua de Cobra estavam sempre em seus ouvidos, envenenando seu pensamento, esfriando seu coração, enfraquecendo seus membros,

enquanto os outros observavam e nada podiam fazer, pois a sua vontade estava nas mãos dele." Tolkien era um linguista brilhante. O nome Grima deriva da palavra do islandês ou do inglês antigo que significava "máscara, visor, elmo" ou "espectro". "Gríma", Tolkien Gateway, acessado em 21 de setembro de 2020, tolkiengateway.net/wiki/Grima.

42 Veja mais sobre essa regra em meu artigo "Hire Slow, Fire Fast", *Harvard Business Review*, 3 de março de 2014.

43 Este relato se baseia em muitas conversas minhas com Jonathan enquanto escrevia este livro, em 2020. Tristan está feliz e saudável, com base em todas as fotos que o pai orgulhoso sempre me manda.

44 "One of the Most Important Lessons Dr. Maya Angelou Ever Taught Oprah", publicado no YouTube em 19 de maio de 2014, youtube.com/watch?v=nJgmaHkcFP8.

45 Henry Wadsworth Longfellow, "The Poet's Tale" em *Tales of a Wayside Inn* (Boston: Ticknor and Fields, 1863).

Capítulo 4

46 Paul Sullivan, "Joe Maddon's Unconventional Style Has Made Him the Toast of Chicago", *Chicago Tribune*, 29 de setembro de 2016, chicagotribune.com/sports/ct-cubs-joe-maddon-managerial-style-spt-0930-20160929-story.html, e Carrie Muskat, "Maddon Shakes Things Up with American Legion Week", Major League Baseball, 20 de agosto de 2015, mlb.com/news/cubs-joe-maddon-american-legion-week/c-144340696.

47 Tony Andracki, "American Legion Week Has Come at a Perfect Time for the Cubs", NBC Sports, 20 de agosto de 2019, nbcsports.com/chicago/cubs/american-legion-week-has-come-perfect-time-cubs-nicholas-castellanos-rizzo-maddon-wrigley-field-little-league-world-series.

48 K. A. Ericsson, R. T. Krampe e C. Tesch-Romer, "The Role of Deliberate Practice in the Acquisition of Expert Performance", *Psychological Review*, 100, nº 3 (julho de 1993), pp. 363-406. Esse é o estudo que embasou a regra das 10 mil horas de Malcolm Gladwell, embora

mais tarde os autores do estudo tenham afirmado que seu resultado foi mal interpretado; K. A. Ericsson, "Training History, Deliberate Practice and Elite Sports Performance: An Analysis in Response to Tucker and Collins Review – What Makes Champions?", *British Journal of Sports Medicine*, 47, 2013, pp. 533-535.

49 DaKari Williams, "Katrin Tanja Davidsdottir Plays Mental Game to Win CrossFit Games", ESPN, 29 de julho de 2015, espn.com/espnw/athletes-life/story/_/id/13337513/katrin-tanja-davidsdottir-plays--mental-game-win-crossfit-games. Esse relato também se baseia em minha entrevista com Ben Bergeron em julho de 2020 e em "How Katrin Davidsdottir Won the CrossFit Games", episódio 65 do programa *Chasing Excellence*, de Bergeron, 25 de março de 2019, YouTube, youtube.com/watch?v=u_oNz-uwFW4.

50 D. A. Calhoun e S. M. Harding, "Sleep and Hypertension External", *Chest*, 138, nº 2, 2010, pp. 434-443.

51 Hans P. A. Van Dongen, Greg Maislin, Janet M. Mullington e David F. Dinges, "The Cumulative Cost of Additional Wakefulness: Dose--Response Effects on Neurobehavioral Functions and Sleep Physiology from Chronic Sleep Restriction and Total Sleep Deprivation", *Sleep*, 26, nº 2, março de 2003, pp. 117-126. Os autores do estudo concluíram: "As taxas relativas ao sono indicam que os participantes, em grande medida, não tinham consciência desse déficit cognitivo crescente, o que pode explicar por que o impacto da restrição crônica de sono sobre as funções cognitivas na vigília costuma ser considerado benigno."

52 "'Sleep Debts' Accrue When Nightly Sleep Totals Six Hours or Fewer; Penn Study Finds People Respond Poorly, While Feeling Only 'Slightly' Tired", *ScienceDaily*, 14 de março de 2003, sciencedaily.com/releases/2003/03/030314071202.htm.

53 Sean Wise, "I Changed My Sleeping Habits for 30 Days, Here's How It Made Me a Better Entrepreneur", *Inc.*, 14 de setembro de 2019, inc.com/sean-wise/i-changed-my-sleeping-habits-for-30-days--heres-how-it-made-me-a-better-entrepreneur.html.

54 Brian C. Gunia, "The Sleep Trap: Do Sleep Problems Prompt Entrepreneurial Motives but Undermine Entrepreneurial Means?", *Academy of Management Perspectives*, 32, 13 de junho de 2018, pp. 228-242.

55 A. Williamson, M. Battisti, Michael Leatherbee e J. Gish, "Rest, Zest, and My Innovative Best: Sleep and Mood as Drivers of Entrepreneurs' Innovative Behavior", *Entrepreneurship Theory and Practice*, 483, nº 3, 25 de setembro de 2018, pp. 582-610.

56 Jennifer Leavitt, "How Much Deep, Light, and REM Sleep Do You Need?", Healthline, 10 de outubro de 2019, healthline.com/health/how-much-deep-sleep-do-you-need.

57 Institute of Medicine, US Committee on Sleep Medicine and Research e H. R. Colten e B. M. Altevogt, org., *Sleep Disorders and Sleep Deprivation: An Unmet Public Health Problem* (Washington: National Academies Press, 2006), p. 2.

58 Shahab Haghayegh, Sepideh Khoshnevis, Michael H. Smolensky, Kenneth R. Diller e Richard J. Castriotta, "Before-Bedtime Passive Body Heating by Warm Shower or Bath to Improve Sleep: A Systematic Review and Meta-analysis", *Sleep Medicine Reviews*, 46, 2019, pp. 124-135.

59 C. E. Milner e K. A. Cote, "Benefits of Napping in Healthy Adults: Impact of Nap Length, Time of Day, Age, and Experience with Napping", *Journal of Sleep Research*, 18, nº 2, 2009, pp. 272-281.

60 J. R. Goldschmied, P. Cheng, K. Kemp, L. Caccamo, J. Roberts e P. J. Deldin, "Napping to Modulate Frustration and Impulsivity: A Pilot Study", *Personality and Individual Differences*, 86, 2015, pp. 164-167.

61 S. Mednick, K. Nakayama e R. Stickgold, "Sleep-Dependent Learning: A Nap Is as Good as a Night", *Nature Neuroscience*, 6, nº 7, 2003, pp. 697-698.

62 Ron Chernow, *Grant* (Nova York, Penguin, 2017), pp. 376. As façanhas de Ulysses S. Grant foram muitas vezes comparadas, em vida, às de Napoleão. Grant tinha um conhecimento enciclopédico das táticas militares do colega francês e, ao que parece, também de seus padrões de sono.

63 Salvador Dalí, *A persistência da memória*, 1931, Museum of Modern Art, moma.org/collection/works/79018. O site do MoMA oferece uma descrição em áudio do quadro de Dalí e do que ele chamava de "os truques paralisantes usuais de enganar os olhos".

64 Ian Gibson, *The Shameful Life of Salvador Dalí* (Londres: Faber and Faber, 1997), cap. 2 e 3.

65 Drake Baer, "How Dalí, Einstein, and Aristotle Perfected the Power Nap", *Fast Company*, 10 de dezembro de 2013, fastcompany.com/3023078/how-dali-einstein-and-aristotle-perfected-the-power-nap.
66 Salvador Dalí, *50 Secrets of Magic Craftsmanship* (Mineola: Courier Corporation, 2013), p. 37.

Capítulo 5

67 Guinness World Records News, "Sherlock Holmes Awarded Title for Most Portrayed Literary Human Character in Film and TV", Guinness World Records, 14 de maio de 2012, guinnessworldrecords.com/news/2012/5/sherlock-holmes-awarded-title-for-most-portrayed-literary-human-character-in-film-tv-41743/?fb_comment_id=10150968618545953_27376924.
68 Em Arthur Conan Doyle, *Adventures of Sherlock Holmes*, gutenberg.org/files/1661/1661-h/1661-h.htm.
69 "Cataracts", The Mayo Clinic, acessado em 14 de outubro de 2020, mayoclinic.org/diseases-conditions/cataracts/symptoms-causes/syc-20353790.
70 "The Life and Times of Warriors' Star Stephen Curry", *GameDay News*, 19 de junho de 2019, gamedaynews.com/athletes/life-of-stephen-curry/?chrome=1.
71 "Every Exercise Steph Curry's Trainer Makes Him Do", GQ Sports: The Assist, 20 de setembro de 2019, YouTube, youtube.com/watch?v=M0FwbaLVHpg.
72 Drake Baer, "Steph Curry Literally Sees the World Differently Than You Do", *The Cut*, 13 de junho de 2016, thecut.com/2016/06/steph-curry-perception-performance.html.
73 "Dr. Jocelyn Faubert on NeuroTracker", TEDx-Montreal, 4 de julho de 2018, YouTube, youtube.com/watch?v=i7rz1dyZyi8.
74 "John and Julie Gottman", Gottman Institute, acessado em 22 de setembro de 2020, gottman.com/about/john-julie-gottman.
75 John Gottman e Joan DeClaire, *The Relationship Cure* (Nova York: Crown, 2002), Cap. 2.

76 Ronald Epstein é professor de medicina familiar, psiquiatria e oncologia da Faculdade de Medicina e Odontologia da Universidade de Rochester. Escreveu *Attending: Medicine, Mindfulness and Humanity* (Nova York: Scribner, 2017).

77 "Clearness Committees – What They Are and What They Do", FGC Friends General Conference, acessado em 20 de setembro de 2020, fgcquaker.org/resources/clearness-committees-what-they-are-and-what-they-do.

78 Parker J. Palmer, "The Clearness Committee: A Communal Approach to Discernment in Retreats", Center for Courage & Renewal, acessado em 14 de outubro de 2020, couragerenewal.org/clearnesscommittee.

Segunda Parte

79 Robbie Gonzalez, "Free Throws Should Be Easy. Why Do Basketball Players Miss?", *Wired*, 28 de março de 2019, wired.com/story/almost-impossible-free-throws.

80 Adam Hayes, "Law of Diminishing Marginal Returns", Investopedia, 24 de agosto de 2020, investopedia.com/terms/l/lawofdiminishingmarginalreturn.asp.

81 Viktor Frankl usou o termo "hiperintenção" para casos muito extremos de seus pacientes.

82 Harry J. Stead, "The Principle of Wu Wei and How It Can Improve Your Life", *Medium,* 14 de maio de 2018, medium.com/personal-growth/the-principle-of-wu-wei-and-how-it-can-improve-your-life-d6ce45d623b9.

Capítulo 6

83 Pablo Lledó, "Wasa and Scope Creep – Based on a True Story", trad. Dr. David Hillson, acessado em 15 de outubro de 2020, pablolledo.com/content/articulos/WASA%20-%20Scope%20Creep.pdf. Ver também

Eric H. Kessler, Paul E. Bierly III e Shanthi Gopalakrishnan, "Vasa Syndrome: Insights from a 17th-Century New-Product Disaster", *The Academy of Management Executive*, 15, nº 3, agosto de 2001, pp. 80-91, jstor.org/stable/4165762?seq=1. A embarcação é conhecida tanto como *Wasa* quanto como *Vasa*.

84 Margareta Magnusson, *The Gentle Art of Swedish Death Cleaning: How to Free Yourself and Your Family from a Lifetime of Clutter* (Nova York: Scribner, 2018).

Capítulo 7

85 Alex Sherman, "Netflix Has Replaced Broadcast TV as the Center of American Culture – Just Look at the Viewership Numbers", CNBC, 21 de abril de 2020, cnbc.com/2020/04/21/netflix-massive-viewership-numbers-proves-it-owns-pop-culture.html#:~:text=Netflix%20has%20more%20than%20183%20million%20global %20subscribers.

86 "Keynote 4: Reed Hastings, CEO and Founder, Netflix", Mobile World Congress 2017, fevereiro-março de 2017, Mobile World Live, mobileworldlive.com/mobile-world-congress-2017.

87 Jon Xavier, "Netflix's First CEO on Reed Hastings and How the Company Really Got Started | Executive of the Year 2013", *Silicon Valley Business Journal*, 8 de janeiro de 2014, bizjournals.com/san-jose/news/2014/01/08/netflixs-first-ceo-on-reed-hastings.html. Ver também Alyssa Abkowitz, "How Netflix Got Started", *Fortune*, 28 de janeiro de 2009, archive.fortune.com/2009/01/27/news/newsmakers/hastings_netflix.fortune/index.htm.

88 "Four Unbelievably Simple Steps to Double Your Productivity", *Learn Do Become*, acessado em 15 de outubro de 2020, learndobecome.com/wp-content/uploads/2016/11/Four-Unbelievably-Simple--Steps-Transcript.pdf?inf_contact_key=cb4c4e5fef9fce1717df2acfb975a1f352696a354c5a36f7c65eb862cc3ca8f2.

89 Marie Kondo, *A mágica da arrumação*.

90 Fumio Sasaki, *Goodbye, Things: The New Japanese Minimalism* (Nova York: Norton, 2017), p. 87.

91 Eric Ries, "Minimum Viable Product: A Guide", *Startup Lessons Learned*, 3 de agosto de 2009, soloway.pbworks.com/w/file/fetch/85897603/1%2B%20Lessons%20Learned_%20Minimum%20Viable%20Product_%20a%20guide2.pdf.

92 Rebecca Aydin, "How 3 Guys Turned Renting Air Mattresses in Their Apartment into a $31 Billion Company, Airbnb", *Business Insider*, 20 de setembro de 2019, businessinsider.com/how-airbnb-was-founded-a-visual-history-2016-2.

93 "What Is a Microburst?", National Weather Service, acessado em 15 de outubro de 2020, weather.gov/bmx/outreach_microbursts#:~:text=A%20microburst%20is%20a%20localized,%2C%20can%20be%20life%2Dthreatening.

94 April Perry, "[Podcast 53]: How to Utilize Pockets of Time", 6 de junho de 2019, *Learn Do Become*, learndobecome.com/episode53.

95 Laura Spinney, "The Time Illusion: How Your Brain Creates Now", *New Scientist*, 7 de janeiro de 2015. Foi a autora quem me apresentou essa medida. Por sua vez, ela cita Marc Wittmann, fundador do Marc Wittmann Institute for Frontier Areas of Psychology and Mental Health, em Freiburg, na Alemanha. Wittmann disse: "Nossa noção de agora está por trás de toda a nossa experiência consciente."

Capítulo 8

96 Conversa com Peri Hartman em 17 de abril de 2020.

97 Richard L. Brandt, *Nos bastidores da Amazon* (São Paulo: Benvirá, 2011).

98 Mike Arsenault, "How Valuable Is Amazon's 1-Click Patent? It's Worth Billions", *Rejoiner*, acessado em 15 de outubro de 2020, rejoiner.com/resources/amazon-1clickpatent.

99 Louis V. Gerstner, Jr., *Quem disse que os elefantes não dançam?* (Rio de Janeiro: Campus Elsevier, 2003).

100 Farhad Manjoo, "Invincible Apple: 10 Lessons from the Coolest Company Anywhere", *Fast Company*, 1º de julho de 2010, fastcom-

pany.com/1659056/invincible-apple-10-lessons-coolest-company-
-anywhere.
101 Jim Highsmith, "History: The Agile Manifesto", Agile Alliance, 2001, agilemanifesto.org/history.html.
102 Andy Benoit, *Andy Benoit's Touchdown 2006: Everything You Need to Know About the NFL This Year* (Nova York: Ballantine Books, 14 de julho de 2006).

Capítulo 9

103 Anthony Morris, "A Willingness to Fail Solved the Problem of Human-Powered Flight", *Financial Review*, 6 de outubro de 2015, afr.com/work-and-careers/man agement/being-willing-to-fail-solved-
-the-problem-of-humanpowered-flight-20151016-gkb658.
104 Paul MacCready e John Langford, "Human-Powered Flight: Perspectives on Processes and Potentials", MIT 1998 Gardner Lecture, publicado no YouTube em 13 de novembro de 2019, youtube.com/watch?v=t8C8-BB_7nw.
105 Uma versão deste artigo foi publicada na edição de abril de 2014 da revista *Fast Company*: Ed Catmull, "Lessons from Pixar President Ed Catmull: Your Ideas Are 'Ugly Babies', You Are Their Champion", fastcompany.com/3027548/pixars-ed-catmull-on-the-importance-
-of-protecting-new-ideas.
106 John Klick, "Culture Eats Strategy: Using It to Your Advantage to Inspire Innovation Action", *PDS Blog*, 1º de outubro de 2018, https://ww2.frost.com/events/product-innovation-development/culture-
-eats-strategy-using-it-to-your-advantage-to-inspire-innovation-
-action.
107 Ben Casnocha, "Reid Hoffman's Two Rules for Strategy Decisions", *Harvard Business Review*, 5 de março de 2015, hbr.org/2015/03/reid-
-hoffmans-two-rules-for-strategy-decisions.
108 Reid Hoffman, "Imperfect Is Perfect", podcast *Masters of Scale*, episódio 4, 24 de maio de 2017, mastersofscale.com/mark-zuckerberg-
-imperfect-is-perfect.

109 George Bernard Shaw, *O dilema do médico* (São Paulo: Melhoramentos, 1953).
110 Chris Knight, "Chris Knight: 'A Word after a Word after a Word Is Power' Is a Celebration of All Things Atwoodian", *National Post*, 6 de novembro de 2019, nationalpost.com/entertainment/movies/chris-knight-a-word-after-a-word-after-a-wordis-power-is-a-celebration-of-all-things-atwoodian.

Capítulo 10

111 Roland Huntford conta a história com detalhes extraordinários no livro *O último lugar da terra* (São Paulo: Companhia das Letras, 2002).
112 Conversa com Janice Kapp Perry, 10 de maio de 2020. Ver também Susan Easton Black e Mary Jane Woodger, *Women of Character: Profiles of 100 Prominent LDS Women* (American Fork: Covenant Communications), pp. 227-229.
113 Lucy Moore, "Before I Met You by Lisa Jewell", *Female First*, 23 de maio de 2013, femalefirst.co.uk/books/before-i-met-you-292526.html.
114 Este relato se baseia em minha entrevista com Ben Bergeron em julho de 2020.
115 Paul Shoemaker, "Can You Handle VUCA? If You Can't, You Could Perish", *Inc.*, 27 de setembro de 2018, inc.com/paul-schoemaker/can-you-vuca.html.
116 Joe Indvik, "Slow Is Smooth, Smooth Is Fast: What SEAL and Delta Force Operators Can Teach Us About Management", LinkedIn, 24 de novembro de 2015, linkedin.com/pulse/slow-smooth-fast-what--seal-delta-force-operators-can-teach-joe-indvik.

Terceira parte

117 Robbie Gonzalez, "Free Throws Should Be Easy. Why Do Basketball Players Miss?", *Wired*, 28 de março de 2019, wired.com/story/almost-impossible-free-throws.
118 Burton Malkiel e Charles Ellis, *The Elements of Investing: Easy Lessons for Every Investor* (Hoboken: Wiley, 2013), p. 11. "Quando morreu, em 1790, Franklin deixou um presente de 5 mil dólares para cada uma de suas cidades favoritas, Boston e Filadélfia. Ele estipulou que o dinheiro teria que ser investido e poderia ser resgatado em duas datas específicas, a primeira 100 anos depois e a segunda 200 anos depois da data do presente. Cem anos depois, cada cidade teve permissão de retirar 500 mil dólares para projetos de obras públicas. Duzentos anos depois, em 1991, elas receberam o saldo, que chegara a cerca de 20 milhões de dólares para cada cidade."
119 Jessica Jackley, *Clay, Water, Brick: Finding Inspiration from Entrepreneurs Who Do the Most with the Least* (Nova York: Random House, 2015). Também baseado em correspondência com Jessica em julho de 2020.
120 Diodorus Siculus, *Diodorus Siculus: Library of History,* vol. 11, livros 21 a 32, trad. Francis R. Walton (Cambridge: Harvard University Press, 1957).

Capítulo 11

121 A. Storr, "Issac Newton", *British Medical Journal (Clinical Research Edition)*, 291, nº 6.511, 1985, pp. 1.779-1.784.
122 "Principia", Classic Thesaurus, acessado em 15 de outubro de 2020, classicthesaurus.com/principia/define.
123 George N. Lowrey Company, "The Convention: Fifteenth Annual Convention of the National Association of Clothiers, Held June 5 and 6, 1911", *The Clothier and Furnisher*, 78, nº 6, 1911, p. 86.

124 "The Three Buckets of Knowledge," *FS Blog*, fevereiro de 2016, fs.blog/2016/02/three-buckets-lessons-of-history.
125 P. R. Kunz e M. Woolcott, "Season's Greetings: From My Status to Yours", *Social Science Research*, 5, nº 3, 1976, pp. 269-278.
126 Veja a sessão AMA (Ask Me Anything) de perguntas e respostas com Elon Musk no Reddit em 5 de janeiro de 2015, reddit.com/r/IAmA/comments/2rgsan/i_am_elon_musk_ceocto_of_a_rocket_company_ama. Musk escreve: "Acho que a maioria consegue aprender muito mais do que pensa ser possível. As pessoas se subestimam sem nem tentar. Um conselho: é importante ver o conhecimento como um tipo de árvore semântica. Faça questão de entender os princípios fundamentais, isto é, o tronco e os galhos grandes, antes de chegar às folhas/detalhes, ou elas não terão onde se pendurar."
Quando outro usuário, mais adiante na conversa, lhe pergunta "Que hábito diário você acha que teve o maior impacto positivo em sua vida?", Musk responde simplesmente: "Tomar banho."
127 Patrice Voss, Maryse E. Thomas, J. Miguel Cisneros-Franco e Etienne de Villers-Sidani, "Dynamic Brains and the Changing Rules of Neuroplasticity: Implications for Learning and Recovery", *Frontiers in Psychology* 8, nº 1.657, psycnet.apa.org/record/2017-47425-001.
128 Robert Abbot, "Big Mistakes: Charlie Munger", *Guru Focus,* 1º de julho de 2019, gurufocus.com/news/902508/big-mistakes-charlie--munger.
129 Isaiah Berlin, *The Hedgehog and the Fox* (Londres: Weidenfeld & Nicolson, 1953).
130 Jim Collins, *Empresas feitas para vencer*.
131 Tren Griffin, *Charlie Munger: The Complete Investor* (Nova York: Columbia Business School Publishing, 2015), p. 43.
132 B. Uzzi *et al.*, "Atypical Combinations and Scientific Impact", *Science*, 342, nº 6.157, 2013, pp. 468-472.
133 "Hidden Connections Conference", Nanyang Technological University, Cingapura, 31 de março de 2015, YouTube, youtube.com/watch?v=mbxcAFh4wO8.
134 Andrew Perrin, "Slightly Fewer Americans Are Reading Print Books, New Survey Finds", Pew Research Center, 19 de outubro de 2015, pewresearch.org/fact-tank/2015/10/19/slightly-fewer-americans-

-are-reading-print-books-new-survey-finds. Essa pesquisa também constatou que sete em cada 10 americanos adultos (72%) leram um livro no ano anterior, seja em parte ou no todo e em qualquer formato (antes eram 79%). Felizmente, esse número sobe para 80% nos adultos de 18 a 29 anos, provando que, ao contrário da opinião popular, os *millenials* realmente leem.

135 "How to Choose Your Next Book", *FS Blog*, agosto de 2013, fs.blog/2013/08/choose-your-next-book.
136 Avi Charkham, "You're Not a Two-Legged Camel You're Just Different", *Medium*, 18 de janeiro de 2019, medium.com/@aviche/two-legged-camel-9e60eb09eb57. Ver também "How One Man Changed the High Jump Forever, the Olympics on the Record", 1º de abril de 2018, YouTube, youtube.com/watch?v=CZsH46Ek2ao.

Capítulo 12

137 projectprotect.health/#.
138 "Aesop", *Britannica*, acessado em 15 de outubro de 2020, britannica.com/biography/Aesop.
139 Robert Sutton e Huggy Rao, *Potencializando a excelência* (Rio de Janeiro: Alta Books, 2018). Sutton e Rao atribuem esse princípio a A. G. Lafley, ex-CEO da Procter & Gamble, que acredita que "seus slogans simples ao estilo Vila Sésamo, repetidos várias vezes, mantêm todos capacitados no que é importante". As crianças de 5 anos do mundo inteiro concordam.

Capítulo 13

140 Alfred North Whitehead, *An Introduction to Mathematics* (Londres: Williams and Norgate, 1911), p. 61.
141 Atul Gawande, *Checklist* (Rio de Janeiro: Sextante, 2011).
142 Paul Reber, "What Is the Memory Capacity of the Human Brain?",

Scientific American, 1º de maio de 2010, scientificamerican.com/article/what-is-the-memory-capacity.

143 legacy.com/obituaries/saltlaketribune/obituary.aspx?n=irene--gaddis&pid=170495784&fhid=11607.

144 Alexander Sehmer, "Teenager's Parking Appeals Website Saves Motorists £2m After Overturning Thousands of Fines", *The Independent*, 29 de dezembro de 2015, independent.co.uk/news/uk/home-news/teenager-s-parking-appeals-website-saves-motorists-ps2m-after-overturning-thousands-fines-a6789711.html. Ver também donotpay.com e "Meet the Teen Taking on the Parking Ticket", BBC News, 6 de setembro de 2015, bbc.co.uk/programmes/p031rmqv.

145 Dan Heath, "How Expedia Solved a $100 Million Customer Service Nightmare", *Medium*, 3 de março de 2020, marker.medium.com/how-expedia-solved-a-100-million-customer-service-nightmare--d7aabc8d4025. Ryan O'Neill me confirmou esse relato numa conversa em agosto de 2020.

Capítulo 14

146 Warren Buffett, "Chairman's Letter", 27 de fevereiro de 2004, Berkshire Hathaway, Annual Report, p. 6, berkshirehathaway.com/letters/2003ltr.pdf.

147 Com base numa conversa com Hall em 25 de agosto de 2020.

148 "Warren Buffett Speaks with Florida University", YouTube, 15 de outubro de 1998, publicado no YouTube em 3 de julho de 2013, youtube.com/watch?v=2MHIcabnjrA&t=1050s.

149 Kim Scott, *Empatia assertiva* (Rio de Janeiro: Alta Books, 2019).

150 Acessado em 15 de outubro de 2020, leanconstruction.org.

Capítulo 15

151 Alexis C. Madrigal, "The Last Smallpox Patient on Earth: The Case of Ali Maow Maalin, a Somalian Cook", *The Atlantic,* 9 de dezembro de 2013, theatlantic.com/health/archive/2013/12/the-last-smallpox-patient-on-earth/282169.

152 David Allen, *A arte de fazer acontecer* (Rio de Janeiro: Sextante, 2015). Como David Allen acrescenta, ao descrever o que chamou de "essa técnica simples mas extraordinária da próxima ação", seu amigo de longa data e mentor em consultoria de gestão Dean Acheson não tem nenhum parentesco com o ex-secretário de Estado americano.

153 Henry David Thoreau, *Walden* (São Paulo: Edipro, 2017).

154 Michael A. Roberto, *Problemas ocultos, soluções à vista* (Rio de Janeiro: Campus Elsevier, 2009).

155 "French Red Faces over Trains That Are 'Too Wide'", BBC News, 20 de maio de 2014, bbc.com/news/world-europe-27497727. Ver também "French Trains Are Too Wide for Stations", NPR, 22 de maio de 2014, npr.org/2014/05/22/314925114/french-trains-are-too-wide-for-stations.

Conclusão

156 Robert Frost, "Stopping by Woods on a Snowy Evening", em *New Hampshire* (Nova York: Henry Holt, 1923).

CONHEÇA OUTRO LIVRO DO AUTOR

Essencialismo

O essencialista não faz mais coisas em menos tempo – ele faz apenas as coisas certas.

Se você se sente sobrecarregado e ao mesmo tempo subutilizado, ocupado mas pouco produtivo, e se o seu tempo parece servir apenas aos interesses dos outros, você precisa conhecer o essencialismo.

O essencialismo é mais do que uma estratégia de gestão de tempo ou uma técnica de produtividade. Trata-se de um método para identificar o que é vital e eliminar todo o resto, para que possamos dar a maior contribuição possível àquilo que realmente importa.

Quando tentamos fazer tudo e ter tudo, realizamos concessões que nos afastam da nossa meta. Se não decidimos onde devemos concentrar nosso tempo e nossa energia, outras pessoas – chefes, colegas, clientes e até a família – decidem por nós, e logo perdemos de vista tudo o que é significativo.

Neste livro, Greg McKeown mostra que, para equilibrar trabalho e vida pessoal, não basta recusar solicitações aleatoriamente: é preciso eliminar o que não é essencial e se livrar de desperdícios de tempo. Devemos aprender a reduzir, simplificar e manter o foco em nossos objetivos.

Quando realizamos tarefas que não aproveitam nossos talentos e assumimos compromissos só para agradar aos outros, abrimos mão do nosso poder de escolha. O essencialista toma as próprias decisões – e só entra em ação se puder fazer a diferença.

CONHEÇA ALGUNS DESTAQUES DE NOSSO CATÁLOGO

- Augusto Cury: Você é insubstituível (2,8 milhões de livros vendidos), Nunca desista de seus sonhos (2,7 milhões de livros vendidos) e O médico da emoção
- Dale Carnegie: Como fazer amigos e influenciar pessoas (16 milhões de livros vendidos) e Como evitar preocupações e começar a viver
- Brené Brown: A coragem de ser imperfeito – Como aceitar a própria vulnerabilidade e vencer a vergonha (900 mil livros vendidos)
- T. Harv Eker: Os segredos da mente milionária (3 milhões de livros vendidos)
- Gustavo Cerbasi: Casais inteligentes enriquecem juntos (1,2 milhão de livros vendidos) e Como organizar sua vida financeira
- Greg McKeown: Essencialismo – A disciplinada busca por menos (700 mil livros vendidos) e Sem esforço – Torne mais fácil o que é mais importante
- Haemin Sunim: As coisas que você só vê quando desacelera (700 mil livros vendidos) e Amor pelas coisas imperfeitas
- Ana Claudia Quintana Arantes: A morte é um dia que vale a pena viver (650 mil livros vendidos) e Pra vida toda valer a pena viver
- Ichiro Kishimi e Fumitake Koga: A coragem de não agradar – Como se libertar da opinião dos outros (350 mil livros vendidos)
- Simon Sinek: Comece pelo porquê (350 mil livros vendidos) e O jogo infinito
- Robert B. Cialdini: As armas da persuasão (500 mil livros vendidos)
- Eckhart Tolle: O poder do agora (1,2 milhão de livros vendidos)
- Edith Eva Eger: A bailarina de Auschwitz (600 mil livros vendidos)
- Cristina Núñez Pereira e Rafael R. Valcárcel: Emocionário – Um guia lúdico para lidar com as emoções (800 mil livros vendidos)
- Nizan Guanaes e Arthur Guerra: Você aguenta ser feliz? – Como cuidar da saúde mental e física para ter qualidade de vida
- Suhas Kshirsagar: Mude seus horários, mude sua vida – Como usar o relógio biológico para perder peso, reduzir o estresse e ter mais saúde e energia

CONHEÇA OS LIVROS DE GREG MCKEOWN

Essencialismo

Sem esforço

O planner do essencialismo

Para saber mais sobre os títulos e autores da Editora Sextante,
visite o nosso site e siga as nossas redes sociais.
Além de informações sobre os próximos lançamentos,
você terá acesso a conteúdos exclusivos
e poderá participar de promoções e sorteios.

sextante.com.br